DOM
QUIX

OTE

MIGUEL DE CERVANTES

DOM QUIXOTE

Tradução e adaptação
Ligia Cademartori

Ilustrações
Alexandre Camanho

1ª edição

EDITORA FTD S.A.
Matriz: Rua Rui Barbosa, 156 — Bela Vista — São Paulo — SP
CEP 01326-010 — Tel. (0-XX-11) 3598-6000
Caixa Postal 65149 — CEP da Caixa Postal 01390-970
Internet: www.ftd.com.br
E-mail: projetos@ftd.com.br

Diretora editorial Silmara Sapiense Vespasiano
Editora Ceciliany Alves
Editora adjunta Cecilia Bassarani
Editores assistentes Luís Camargo
Luiz Gonzaga de Almeida
Assistentes de produção Ana Paula Iazzetto
Lilia Pires
Assistentes editoriais Ândria Cristina de Oliveira
Tássia Regiane Silvestre de Oliveira
Preparadoras Edna Viana
Débora Andrade
Revisora Regina C. Barrozo
Coordenador de produção editorial Caio Leandro Rios
Editora de arte Andréia Crema
Projeto gráfico aeroestúdio
Diagramação Paola Nogueira
Tratamento de imagem Ana Isabela Pithan Maraschin
Supervisão da iconografia Célia Rosa
Pesquisadoras iconográficas Etoile Shaw
Odete Ernestina Pereira
Gerente executivo do parque gráfico Reginaldo Soares Damasceno

Tradução e adaptação de *El ingenioso hidalgo Don Quijote de la Mancha*, Nueva edición crítica con el comento refundido y mejorado y mas de mil notas nuevas, dispuesta por Francisco Rodríguez Marín, Madrid, Atlas, 1947-1949, 10 tomos.

Miguel de Cervantes Saavedra (Alcalá de Henares, 1547-Madri, 1616) foi romancista, dramaturgo e poeta espanhol. Tornou-se célebre em todo o mundo por sua obra-prima, *Dom Quixote de la Mancha.*

Ligia Cademartori nasceu em Santana do Livramento, Rio Grande do Sul. Integra a Lista de Honra do International Board on Books for Young People (IBBY) como tradutora. Ganhou o Prêmio FNLIJ 2010 na categoria Teórico.

Dados Internacionais de Catalogação na Publicação (CIP)
(Câmara Brasileira do Livro, SP, Brasil)

Cademartori, Ligia
Dom Quixote / Miguel de Cervantes ; tradução e adaptação Ligia Cademartori ; ilustrações Alexandre Camanho. – 1. ed. – São Paulo : FTD, 2013.

Título original: El ingenioso hidalgo Don Quijote de la Mancha
ISBN 978-85-322-8744-1

1. Literatura infantojuvenil I. Cervantes de Saavedra, Miguel de, 1547-1616. II. Camanho, Alexandre. III. Título.

13-07657 CDD-028.5

Índices para catálogo sistemático:
1. Literatura infantojuvenil 028.5
2. Literatura juvenil 028.5

A - 940.579/25

SUMÁRIO

A CHAV

Esta coleção convida você a participar de grandes aventuras: mergulhar nas profundezas da Terra, erguer sua lança contra feiticeiros e gigantes, conhecer os personagens mais fantásticos e mais corajosos de todos os tempos.

Algumas dessas aventuras farão sucesso para sempre e vão lhe possibilitar novas maneiras de enxergar a vida e o mundo. Farão você rir, chorar — às vezes as duas coisas ao mesmo tempo. Revelarão segredos sobre você mesmo. E levarão você a enxergar mistérios do espírito humano.

Outras ficarão na sua memória por anos e anos. No entanto, você poderá reencontrá-las, não somente nas prateleiras, mas dentro de si mesmo. Como um tesouro que ninguém nem nada jamais tirará de você.

Você, ainda, poderá presentear seus filhos e netos com essas histórias e personagens. Com a certeza de estar dando a eles algo valioso — que lhes permitirá descobrir um reino de encantamentos.

É isso que os clássicos fazem: encantam a vida de seus leitores. No entanto, sua linguagem, para os dias de hoje, muitas vezes pode parecer inacessível. Afinal, não são leituras

E PARA

DESCOBRIR OS CLÁSSICOS

corriqueiras, comuns, dessas que encontramos às dúzias por aí e esquecemos mal as terminamos. Os clássicos são desafiantes. Por isso, esta coleção traz essas obras em textos com tamanho e vocabulário adaptados à atualidade, sem perder o poder tão especial que elas têm de nos transportar, de nos arrebatar para dentro da história. A ponto de poderem muito bem despertar em você a vontade de um dia ler as obras originais.

Tomemos como exemplo a obra *Robinson Crusoé*: o navio do sujeito naufraga. Com muito esforço, ele nada até uma ilha que fica fora das rotas de tráfego marítimo e se salva. É o único sobrevivente. Ao chegar à praia, estira-se na areia, desesperado, convencido de que jamais retornará à civilização e disposto a se deixar morrer ali.

Muita gente poderia dizer que essa história não apresenta elementos dramáticos para os dias de hoje, pois dispomos de diversos recursos para evitar que esse tipo de situação aconteça. Com mapas, rastreamento dos navios por satélites, equipes de busca munidas de super-helicópteros e computadores ultramodernos, ele logo seria resgatado. E... a história acabaria.

No entanto, somos cativados pela luta desse homem, que foi privado de tudo o que conhecia e isolado do mundo durante quase trinta anos. A gente se envolve com o personagem; somos tocados pela sua força de caráter e pela sua persistência em reconstruir, pouco a pouco, a vida, criando, a partir do nada, um novo mundo.

O espírito dessa obra não tem a ver com época ou recursos tecnológicos, mas com o dom de exibir o extraordinário. Não apenas o da fantasia, mas o do ser humano. Portanto, o extraordinário *de cada um de nós.*

Os clássicos falam de amor, ciúme, raiva, busca pela felicidade como outras obras não falam. Vão mais fundo, ao mesmo tempo em que são sutilmente reveladores.

Não é à toa que atravessaram séculos (alguns, até milênios) e foram traduzidos para tantos idiomas, viraram filmes, desenhos animados, musicais, peças de teatro, histórias em quadrinhos. Existe algo neles que jamais envelhece, conserva-se intensamente humano. E mágico.

Afinal, quem é capaz de ler *Dom Quixote* e não se divertir e se comover com o Cavaleiro da Triste Figura?

Quem não torce para Phileas Fogg chegar a Londres, no dia e na hora marcados, e ganhar a aposta, depois de viajar com ele, superando obstáculos e perigos, nos 80 dias de volta ao mundo?

Quem lê *Os três mosqueteiros* sem desejar, uma vez que seja, erguer uma espada junto com seus companheiros, gritando:

UM POR TODOS E TODOS POR UM!?

Os clássicos são às vezes mais vívidos do que a vida e seus personagens, mais humanos do que o ser humano, porque neles as paixões estão realçadas, e as virtudes e defeitos de seus personagens são expostos com genialidade criadora, literária, em cenas que jamais serão esquecidas e falas que já nasceram imortais.

Os clássicos investigam os enigmas do mundo e do coração, da mente, do espírito da gente. Eles falam de nossas dúvidas, de nossas indagações. Geralmente, não oferecem respostas, mas vivências que nos transformam e nos tornam maiores... por dentro.

São capazes de nos colocar no interior do submarino Nautilus, vendo com olhos maravilhados prodígios imaginados por Júlio Verne em *Vinte mil léguas submarinas*.

Ou nos levam à França do século XIX. Num piscar de olhos, estamos prontos para iniciar um duelo de espadas, noutro instante, intrigados, fascinados com a obsessão de Javert, um dos mais impressionantes personagens criados pela literatura. Assim como, em certos trechos, já nos vemos em fuga desesperada sofrendo com toda a injustiça que se abate sobre o herói de *Os miseráveis*.

As traduções e adaptações desta coleção buscam proporcionar a você um acesso mais descomplicado aos clássicos, como se fosse uma chave para descobri-los, para tomar posse de um patrimônio. O melhor que a humanidade produziu em literatura.

Luiz Antonio Aguiar

Mestre em Literatura Brasileira pela PUC-RJ.
É escritor, tradutor, redator e professor em cursos de qualificação em Literatura para professores.

DOM
QUIX
MIGU
CERV

ALMANAQUE

NASCE UM GÊNIO DA LITERATURA

Detalhe do monumento a Cervantes na Praça da Espanha, em Madri

O escritor, poeta e dramaturgo espanhol **Miguel de Cervantes Saavedra** nasceu, segundo se presume, em 1547, em Alcalá de Henares, uma cidade na Província de Castela, a alguns quilômetros de Madri, a capital da Espanha. Desconhecemos muitas coisas sobre a história de sua vida, principalmente sobre sua infância e adolescência. Com cerca de 28 anos, engajado na Marinha espanhola, foi aprisionado por piratas. Passou cinco anos como escravo na Argélia, até que sua família pagou o resgate e ele foi libertado. Segundo se sabe, *Dom Quixote* foi escrito, ou pelo menos planejado, em parte, no cárcere.

Num período em que ainda não havia avançado na carreira literária, Cervantes trabalhou como coletor de impostos destinados a montar e a suprir a empreitada naval. Nessa época, chegou a compor poemas em louvor à **Armada Invencível**. Foi nesse trabalho, por causa de uma deficiente prestação de contas sobre os fundos coletados, que ele acabou na prisão.

Cervantes nem sempre usou o sobrenome Saavedra, que seria de um parente distante. Ele passou a adotar oficialmente o sobrenome nos documentos de oficialização de seu casamento com Catalina Salazar, na década de 1580.

DOM QUIXOTE DE LA MANCHA

Dom Quixote, de Honoré Daumier, c. 1868

- Em 2002, um grupo de 100 escritores de 54 países elegeu *Dom Quixote* a melhor obra literária já publicada em todos os tempos.
- A primeira parte de *Dom Quixote* foi publicada em 1605. A segunda, em 1615, um ano antes da morte do autor.
- *O engenhoso fidalgo Dom Quixote de la Mancha* (nome original da obra) é considerado o primeiro romance moderno da literatura ocidental – um dos fundadores desse gênero literário. E o personagem Dom Quixote, o mais conhecido do mundo, até por quem jamais leu o livro.
- Louco, sonhador, idealista, bravo, patético e até mesmo ridículo... Talvez, o objetivo maior dessa obra seja transmitir ao leitor a complexidade da existência por meio de um personagem impossível de ser definido em uma só palavra, uma só dimensão ou uma reflexão simplificada. Essa talvez seja a razão de sua popularidade.

tinha a cabeça cheia de desafios e batalhas, amores e enfrentamentos, feitiços e ferimentos, disparates de todo o tipo.

dom quixote, 1605

→ OS CAVALEIROS ANDANTES

A Idade Média é rica em lendas de cavaleiros que perambulavam pelo mundo, enfrentando perigos e defendendo os fracos. Algumas dessas histórias compõem conjuntos bastante complexos, como as lendas do Rei Artur e os Cavaleiros da Távola Redonda, a busca do Santo Graal e outros.

Os cavaleiros andantes de fato existiram em certo período. Como as terras dos nobres eram sempre herdadas pelos filhos mais velhos, os demais filhos não tinham muita saída a não ser correr mundo em busca de fortuna, participando de torneios, ingressando nos exércitos de ricos senhores etc.

Ostentando armaduras que pesavam cerca de 30 quilos, apropriadas somente para o combate corpo a corpo, os cavaleiros andantes tornaram-se uma força inútil, nas batalhas, tão logo as armas de fogo começaram a ser introduzidas nos combates e o custo das armaduras tornou inviável formar esse tipo de exército.

Na época em que se passa a história de *Dom Quixote* não existiam mais cavaleiros andantes, apesar da fascinação que ainda provocavam no público em geral – um dos alvos da ironia da obra de Cervantes. *Amadis de Gaula*, a novela de cavalaria tão amada por Dom Quixote, foi escrita,

Cavaleiro medieval, miniatura de manuscrito italiano, c. 1335-1340

Biblioteca Britânica, Londres

Jorge Coci, Zaragoza, 1508. Coleção particular

originalmente, por autor desconhecido e talvez recolhida de baladas que cantavam as proezas dos cavaleiros andantes em circulação desde o início do século XIV ou até mesmo desde o final do século XIII. A primeira versão conhecida data de 1508 e foi escrita em espanhol por Garci Rodríguez de Montalvo.

Gravura publicada em *Amadis de Gaula*, na versão de Garci Rodríguez de Montalvo, impressa em Saragoça, em 1508

A ARMADA INVENCÍVEL

No final da década de 1580, a Espanha e a Inglaterra disputavam a hegemonia na Europa e no mundo. A Espanha organizou a maior armada já vista – 130 navios, 8 000 marinheiros e 18 000 soldados –, chamada **Armada Invencível**, para invadir a Grã-Bretanha. Não era tão invencível assim... A batalha decisiva entre espanhóis e ingleses aconteceu no Canal da Mancha, com vitória dos ingleses. Na viagem de volta, metade dos navios da Armada Invencível se perdeu e afundou em meio a tempestades.

Autoria desconhecida. Século XVI. National Maritime Museum, Londres

A Armada Invencível, pintura inglesa de autoria desconhecida

Dom Quixote e **Sancho Pança** são uma das melhores duplas da literatura, comparável somente, talvez, a Sherlock Holmes e Dr. Watson.

Dom Quixote é a tempestividade, o desvario, o sonho. Já Sancho Pança, sempre preocupado com a refeição seguinte, é principalmente pão-pão-queijo--queijo, ou seja, os dois formam em cena um contraponto ideal para o leitor.

Enquanto Dom Quixote apresenta a cena sob uma visão delirante, ressaltando a fantasia e detonando a ação, a indolência privada de imaginação do escudeiro oferece ao leitor o contraponto do que poderia ser chamado realidade na cena.

Não haveria graça, por exemplo, na cena em que Dom Quixote investe contra os moinhos gigantes se não houvesse o confronto entre a visão dos dois personagens. Sem Dom Quixote, a cena não aconteceria; sem Sancho Pança, Dom Quixote investiria contra gigantes, sem que colocássemos em dúvida o que ele via.

Honoré Daumier. 1865. Coleção particular

Sancho Pança sentado sob uma árvore, de Honoré Daumier

Além do mais, a figura cômica e simplória do escudeiro, montado em seu burrico, torna-se perfeita para dissimular a dramaticidade, por vezes melancólica, do Cavaleiro da Triste Figura.

Sancho Pança ganha tanto destaque na segunda parte – principalmente quando se torna governador de uma ilha –, que muitos estudiosos consideram que, nesse momento, ele passa a ser o personagem principal da história.

CONTEMPORÂNEOS

Nos anos 1580 e seguintes, Cervantes residiu em Madri (Espanha) e fez amizade com alguns dos mais importantes escritores da época. Foi quando a literatura espanhola teve um de seus momentos mais importantes, conhecido como Século de Ouro da literatura espanhola. Conheça alguns escritores contemporâneos de Miguel de Cervantes.

LUÍS DE GÓNGORA Y ARGOTE

Por muitos, Góngora (1561-1627) é considerado o maior poeta espanhol de todos os tempos. Com estilo próprio e marcante, influenciou todo o ambiente literário em que viveu.

Século XVII. Museu do Prado, Madri

FÉLIX ARTURO LOPE DE VEGA Y CARPIO

Eugenio Caxés. Séculos XVI-XVII. Museu da Fundação Lázaro Galdiano, Madri.

Poeta e dramaturgo, nasceu em 1562 e morreu em 1635, é considerado a principal figura literária da Espanha do Século de Ouro da literatura espanhola, abaixo apenas de Cervantes. Conta-se que, apesar de sua amizade com o autor de *Dom Quixote*, não apreciou nem um pouco a obra e repudiou-a publicamente.

TIRSO DE MOLINA

Prisma/Album/Latinstock

Nasceu em Madri, mas estudou em Alcalá de Henares, que se supõe ter sido a terra natal de Cervantes. Monge e poeta, viveu de 1549 a 1648.

FRANCISCO GÓMEZ DE QUEVEDO Y SANTIBAÑEZ VILLEGAS

Diego Velázquez. Século XVII. Instituto Valencia de Don Juan. Madri

Membro da nobreza espanhola, o poeta **Quevedo** (1580-1645) teve enorme influência entre os demais literatos da sua época. Manteve uma longa e disputada rivalidade com Góngora.

PEDRO CALDERÓN DE LA BARCA

Se Lope de Vega foi um dos fundadores do teatro espanhol no Século de Ouro, **Calderón de la Barca** (1600-1681), segundo estudiosos, lhe deu formato e caráter definitivos.

Antonio de Pereda y Salgado. Século XVII. Coleção particular. Foto: Prisma/Album/Latinstock

BARROCO

É sempre bastante difícil definir as características artísticas e delimitar o estilo de uma época. O Barroco surgiu entre o final do século XVI e meados do século XVIII. Em oposição à simetria e à economia de formas do Renascimento, propunha riqueza de detalhes e dramaticidade. A referência à mitologia grega foi substituída por emoções contemporâneas e pela devoção religiosa ao catolicismo.

O Barroco teve grandes representantes também no Brasil, entre eles Aleijadinho (Antônio Francisco Lisboa, 1730-1814), importante escultor e arquiteto do Brasil colonial.

Embora a Espanha tenha vivido o seu chamado Século de Ouro da literatura no século XVI, com artistas que, de maneiras diferentes, identificavam-se com o Barroco, *Dom Quixote* é uma obra que foge aos parâmetros principais do estilo, por sua identidade própria e absoluta originalidade.

Diego Velázquez. 1656. Museu do Prado, Madri

As meninas, de Diego Velázquez, 1656, provavelmente a pintura mais famosa do barroco espanhol

Mondadori Portfoli/Getty Images

Jorge Luis Borges, década de 1980

UMA OBRA SEMPRE ATUAL

O célebre escritor argentino Jorge Luis Borges (1889-1986) publicou, em 1944, um livro de contos intitulado *Ficções*, em que encontramos o polêmico conto "Pierre Menard, autor de Quixote", que conta a história de um homem que, ao morrer, deixa uma obra considerada originalíssima. Trata-se do texto exato de Cervantes, *Dom Quixote*. O narrador defende que nada poderia ser mais original do que escrever *Dom Quixote* no século XX, e que se trataria então de uma obra totalmente diferente da que foi escrita no século XVII. Entre ironias e muito refinamento, chama atenção a atualidade tocante da obra de Miguel de Cervantes e a devoção que provoca pelo mundo, principalmente nos que amam a literatura.

Nas artes plásticas, o personagem Dom Quixote inspirou uma série de 21 desenhos a lápis de cor do pintor brasileiro Candido Portinari (1903-1962), que, por sua vez, inspirou uma série de 21 poemas de Carlos Drummond de Andrade (1902-1987). Ainda na pintura, há também a famosa série de ilustrações de Gustave Doré (1832-1883), que fixaram uma imagem de Dom Quixote que habita o imaginário de todos os seus leitores e aficionados. Em livro, a adaptação de 1936 de Monteiro Lobato (1882-1948), *Dom Quixote das crianças*, tornou o personagem conhecido de gerações de brasileiros.

Gustave Doré. 1863. Biblioteca Nacional da França, Paris

Desenho de Gustave Doré, gravado por H. Pisan, para a tradução de *Dom Quixote* de Louis Viardot, publicada em Paris, em 1863

CRONOLOGIA

1547

Não se conhece ao certo a data e o local de nascimento de Miguel de Cervantes. Costuma-se considerar o dia 29 de setembro e o local Alcalá de Henares. Sétimo filho de Rodrigo de Cervantes e Leonor de Cortinas.

1569-1570

O jovem Cervantes, então com 22 anos, percorre várias cidades da Itália, tomando contato com as ideias e obras do Renascimento.

1571

Participa da famosa **Batalha de Lepanto**, na Grécia. Ferido a tiros, perde a mão esquerda (segundo algumas fontes, o ferimento teria na verdade provocado a perda dos movimentos no braço). Essa batalha determina o fim da expansão islâmica no Mediterrâneo.

1575

Em meio a uma viagem marítima rumo à Espanha, seu navio é capturado por piratas turcos. Levado para Argel, na Argélia, permanece cinco anos como escravo, até que sua família paga o resgate e ele é libertado.

1580

Estabelece residência em Valência, depois em Toledo e em Madri. Casa-se com Catalina de Salazar. Faz amizade com os maiores escritores de seu tempo, como **Calderón de La Barca, Quevedo**, Góngora, Tirso de Molina e outros.

1597

No final dos anos 1590, trabalha como coletor de impostos, mas irregularidades na prestação de contas levam-no à prisão. É solto, ao que parece, cerca de um ano ou pouco mais depois.

1605

É lançada a primeira parte de *Dom Quixote*, com título original *O engenhoso fidalgo Dom Quixote de la Mancha*. A obra obtém sucesso imediato, com seis reimpressões no período de um ano.

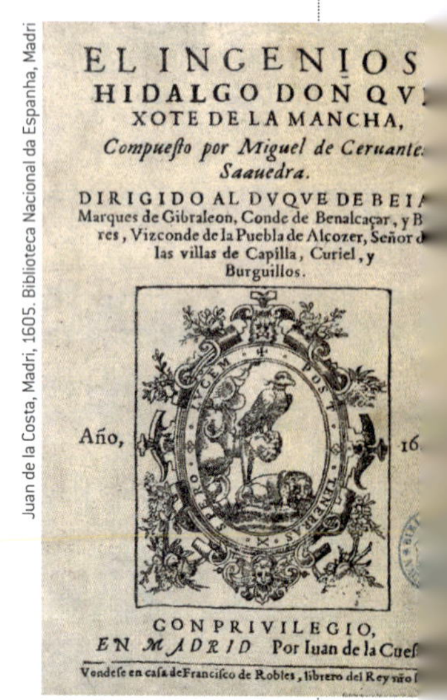
EL INGENIOS
HIDALGO DON QV
XOTE DE LA MANCHA,
Compuesto por Miguel de Ceruante Saauedra.
DIRIGIDO AL DVQVE DE BEI
Marques de Gibraleon, Conde de Benalcaçar, y B
res, Vizconde de la Puebla de Alcozer, Señor d
las villas de Capilla, Curiel, y
Burguillos.
Año, 16
CON PRIVILEGIO,
EN MADRID Por Iuan de la Cue
Vendese en casa de Francisco de Robles, librero del Rey nro

Juan de la Costa, Madri, 1605. Biblioteca Nacional da Espanha, Madri

Página de rosto da primeira edição de *Dom Quixote*, 1605

1613

Publica outro de seus mais conhecidos trabalhos: *Novelas exemplares*.

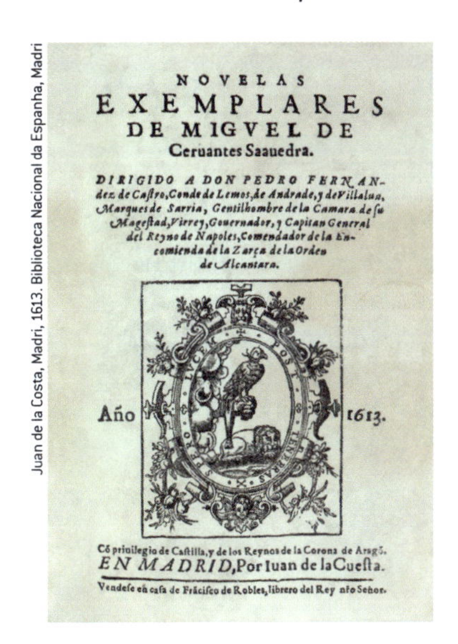
NOVELAS
EXEMPLARES
DE MIGVEL DE
Ceruantes Saauedra.

DIRIGIDO A DON PEDRO FERNANdez de Castro, Conde de Lemos, de Andrade, y de Villalua, Marques de Sarria, Gentilhombre de la Camara de su Magestad, Virrey, Gouernador, y Capitan General del Reyno de Napoles, Comendador de la Encomienda de la Zarça de la Orden de Alcantara.

Año 1613.

Cõ priuilegio de Castilla, y de los Reynos de la Corona de Aragõ.
EN MADRID, Por Iuan de la Cuesta.
Vendese en casa de Frãcisco de Robles, librero del Rey nro Señor.

Juan de la Costa, Madri, 1613. Biblioteca Nacional da Espanha, Madri

Página de rosto da primeira edição de *Novelas exemplares*, 1613

1614

É lançada uma continuação falsa de *Dom Quixote*, de Alonso Fernandez de Avellaneda (provavelmente um pseudônimo).

1615

Cervantes lança a segunda parte de *Dom Quixote*.

1616

Morre em 22 (ou 23) de abril.

1617

É publicada sua última obra, o romance *Os trabalhos de Persiles e Sigismunda*.

→ **ALIANÇA PELA EUROPA**

Batalha de Lepanto – Batalha naval ocorrida em 7 de outubro de 1571. O Império Turco Otomano havia invadido e tomado a Ilha de Chipre, que pertencia a Veneza. Uma aliança que reuniu a Espanha, a República de Veneza, os Cavaleiros de Malta e os Estados Pontifícios (sob domínio da Igreja Católica) derrotou os turcos, interrompendo a expansão islâmica no Mar Mediterrâneo.

Paolo Veronese. c. 1572. Galleria dell' Accademia, Veneza

Alegoria da batalha de Lepanto, de Veronese. Na parte superior da pintura vê-se Veneza (personificada) ajoelhada diante de Nossa Senhora, São Roque, São Pedro, Santa Justina, São Marcos e anjos

→ OS ÁRABES NA ESPANHA

Rolf E. Staerk/Shutterstock/Glow Images

Pátio dos leões, palácio e fortaleza de Alhambra, Granada, Espanha

Em 711, os árabes invadiram o sul da Península Ibérica. O domínio árabe-muçulmano durou sete séculos e deixou profundas marcas na cultura espanhola. Até hoje, é possível admirar em cidades da região da Andaluzia uma arquitetura característica (cujo exemplo mais conhecido dos turistas é a Fortaleza de Alhambra, em Granada, declarada Patrimônio da Humanidade). Houve também forte presença da cultura árabe no Reino de Castela. Muitos estudiosos da literatura identificam, tanto em alguns episódios e personagens quanto na estrutura geral de *Dom Quixote*, influência das narrativas orais árabes, que deram origem à obra *As mil e uma noites*. A Reconquista, como foi chamada a expulsão total dos árabes da Península, somente aconteceu no início do século XVII.

NO TEMPO DE CERVANTES

1547

Morre Henrique VIII, rei da Inglaterra, conhecido como o rei que concentrou o maior poder em suas mãos no período monárquico-absolutista, rompeu com a Igreja Católica Romana e fundou a Igreja da Inglaterra (Anglicana).

Museu Thyssen-Bornemisza, Madri

Retrato de Henrique VIII, de Hans Holbein, o Jovem, 1536

1571

No dia 7 de outubro, ocorre a Batalha de Lepanto, no golfo de Lepanto [atual golfo de Corinto], na Grécia, entre a Liga Santa, formada pela República de Veneza, a Espanha, a Ordem de Malta e o exército do papa, comandada por Dom João da Áustria, composta por 13000 marinheiros, 43000 galeotes [remadores] e 31000 soldados, contra a armada dos turcos, comandada por Ali Pachá, composta por 13000 marinheiros, 45000 galeotes e 34000 soldados. Na Liga Santa houve 7800 mortos, contra 25000 turcos.

1580

Com a morte do rei Dom Henrique, Portugal perde sua independência para a Espanha em 1580, entrando num período de decadência, que terá profundas influências no Brasil. A independência seria reconquistada por Portugal em 1640. Nasce **Francisco de Quevedo**, grande escritor espanhol. Morre Luís de Camões, autor de *Os Lusíadas*, o grande poema do Renascimento português.

1616

Morre **William Shakespeare**, na Inglaterra.

Beinecke Rare Book and Manuscript Library, Yale University, New Haven

Página de rosto da primeira edição da coletânea de 36 peças de Shakespeare, publicada por seus amigos em 1623, sete anos após sua morte

Alexandre Camanho

→ NO CINEMA

São incontáveis as adaptações de *Dom Quixote* para o cinema. Orson Welles jamais terminou a sua, mas até as vésperas de sua morte, em 1985, falava em finalizá-la. Uma das mais famosas versões teve origem em um musical da Broadway, em Nova York, nos Estados Unidos, de 1965, que no cinema foi estrelada por Peter O'Toole e Sophia Loren: *O Homem de la Mancha*. Na primeira montagem brasileira, em 1972, as canções foram traduzidas por Chico Buarque e Ruy Guerra.

Everett Collection/Keystone

Peter O'Toole em cena do filme *O homem de la Mancha*, de 1972

→ WILLIAM SHAKESPEARE

Nada liga o grande dramaturgo inglês, autor de *Romeu e Julieta*, a Miguel de Cervantes, e é pouco provável que se tenham conhecido ou mesmo suas respectivas obras. No entanto, oficialmente, morreram no mesmo dia, 23 de abril de 1616. Há discordâncias sobre essa data e, além disso, a Inglaterra usava um calendário diferente do espanhol. Portanto, mesmo não tendo – provavelmente – falecido de fato no mesmo dia, 23 de abril foi instituído, em 1995, pela Unesco, como Dia Mundial do Livro e do Direito Autoral, em homenagem aos dois gênios da literatura.

Claudio Divizia/Shutterstock/Glow Images

Estátua de Shakespeare, na praça Leicester, em Londres, Inglaterra

AUTORRETRATO

Cervantes traça um autorretrato no Prólogo de *Novelas exemplares*: "[...] rosto aquilino, cabelo castanho... olhos alegres e nariz adunco... barbas de prata que há mais de vinte anos foram de ouro... boca pequena, dentes nem de mais nem de menos porque são apenas seis e ainda assim em má condição e mal dispostos... o corpo, entre dois extremos, nem grande, nem pequeno... pés não muito ligeiros"...

Juan de Jáuregui y Aguilar. 1600. Real Academia de História, Madri

Retrato de Cervantes, atribuído a Juan de Jáuregui y Aguilar, 1600

PROFUNDAMENTE HUMANO

Não se sabe ao certo a localização do túmulo de Miguel de Cervantes. Menciona-se que tenha sido primeiramente enterrado num convento. Anos depois, a ordem religiosa transferiu-se e teriam levado junto a ossada de Cervantes. A localização da sepultura, então, perdeu-se para sempre. As lacunas na biografia de Cervantes somam-se às aventuras de seu ilustre personagem, habitando eternamente a imaginação das pessoas.

Igor Bulgarin/Shutterstock/Glow Images

Dom Quixote, balé de Ludwig Minkus, pelo Teatro de Ópera e Balé Estatal de Dnipropetrovsk, Ucrânia, 2012

O Cavaleiro da Triste Figura continuará a ser o mais ilustre habitante do reino da literatura. Não importam a nacionalidade, o idioma nem a época, haverá sempre alguma coisa de profundamente humana – fantasia e dor, loucura e ideal – a se descobrir em *Dom Quixote*. Com uma composição de personagem tão rica, Cervantes deixou para o leitor formar seu juízo e definir intimamente seus sentimentos em relação a *Dom Quixote de la Mancha*.

Elaboração: Luiz Antonio Aguiar

À L

Não é fácil para o jovem de hoje, diferente daquele que fui, atravessar as centenas de páginas de *Dom Quixote*. Nem falo da tecnologia avançada que a moçada tem em mãos. É que o hábito de ler modificou-se conforme tudo se transformou. Vivemos a época da velocidade; tudo é rápido, instantâneo. Você recebe o *e-mail* e em cinco minutos querem a resposta. Você "tuíta" uma mensagem de 140 caracteres e habitua as pessoas a lerem uma linguagem codificada, abreviada, cheia de símbolos. Como enfrentar 500 páginas de acontecimentos aventureiros de um espanhol maluco que se diz cavaleiro andante e nobre? Daí este *Dom Quixote* numa edição adaptada. Os ortodoxos ficam indignados. Reduzir Cervantes? Sacrilégio. Em que mundo estamos?

Edições como esta têm um significado e um valor, o de seduzir o jovem (ou não jovem) para a leitura, atraí-lo para as grandes obras por meio do essencial. Conquistá-lo. Trata-se de seduzir leitores, e o texto é que fará isso. Porque me formei lendo livros condensados na revista *Seleções do Reader's Digest*, que os puristas abominavam. Foi ali que encontrei *Moby Dick*, *Por quem os sinos dobram*, *O fio da navalha*, *O vermelho e o negro*, *A leste do Éden*, *Vinhas da ira* e dezenas de outros clássicos que li na versão integral mais tarde, atraído pela emoção e peso.

Quantos leitores sabem que *Dom Quixote* foi escrito em 1605? Portanto, há mais de 400 anos. Historiadores e críticos afirmam que ele foi o primeiro romance moderno. Ou seja, modelou uma forma

CONVITE
LEITURA

narrativa que se perpetua até hoje. Simplificando, o jeito que o romance tem agora nasceu com Cervantes, sujeito que teve uma vida tão agitada que daria um romance. Ele tinha 4 anos quando o pai foi preso por dívidas de jogo. Aos 22 anos, num duelo feriu um homem e teve de fugir para a Itália. Na batalha de Lepanto contra os turcos, foi ferido e teve a mão esquerda inutilizada: daí o apelido de "maneta de Lepanto". Aos 29 anos, foi preso por piratas e ficou cinco anos no cativeiro. Libertado, foi viver em Lisboa, teve uma filha com uma mulher, casou-se com outra, publicou uma peça teatral e viveu do comércio de azeite e trigo. Condenado, como o pai, por dívidas, foi preso novamente aos 50 anos. Na prisão teria estruturado ou escrito a primeira parte de *Dom Quixote*.

Todos nós escritores, que vivemos encerrados pacatamente em nossos estúdios, a imaginar coisas, adoraríamos viver aventureiramente como Cervantes. Ele passou a vida em um mundo agitado e em mutação.

E quem é Dom Quixote? Segundo Cervantes, um homem que "tinha a cabeça cheia de desafios e batalhas, amores e enfrentamentos, feitiços e ferimentos, disparates de todo tipo. Para ele, essas invenções [que lia] eram as histórias mais verdadeiras do mundo. Quando perdeu a razão, ocorreu-lhe o pensamento mais estranho que um louco já tivera: decidiu que seria um cavaleiro andante. Sairia pelo mundo afora, montado em seu cavalo, com arma em punho, à procura de aventuras. Enfrentaria lutas das quais sairia sempre vencedor, e, assim, seu nome e sua fama seriam eternos".

Chamado o Cavaleiro da Triste Figura, temos como personagem um homem pobre, magro, embalado pelas leituras de heroísmo e amor, um sentimental prosaico, que sai pelo mundo num momento em que aquele universo da cavalaria e grandes feitos entrava em decadência. Dom Quixote é patético, com uma alma sonhadora e poética. No seu interior, em sua mente, tudo ressoa a grandeza, a honra, a defesa de sua donzela adorada, Dulcineia.

Hoje, Dom Quixote faria sucesso ao lado dos trapalhões, dos confusos, dos ridículos e dos puros. Quantas vezes ao reler ou ao contar aos meus filhos as desventuras desse cavaleiro e de seu fiel escudeiro, Sancho Pança, os meninos disseram: ele é um Trapalhão, um Didi, um Mussum. E se divertiam. Porque, ao lado da tragédia de Dom Quixote, está a comédia, a sátira. Ele é o demolidor de todos aqueles conceitos de heroísmos e de cavalaria ultrapassados. Há nesse romance laivos dos filmes dos irmãos Marx, comediantes do *nonsense* absoluto nos anos 1940 nos Estados Unidos. Há um quê de Monty Python (e vocês podem

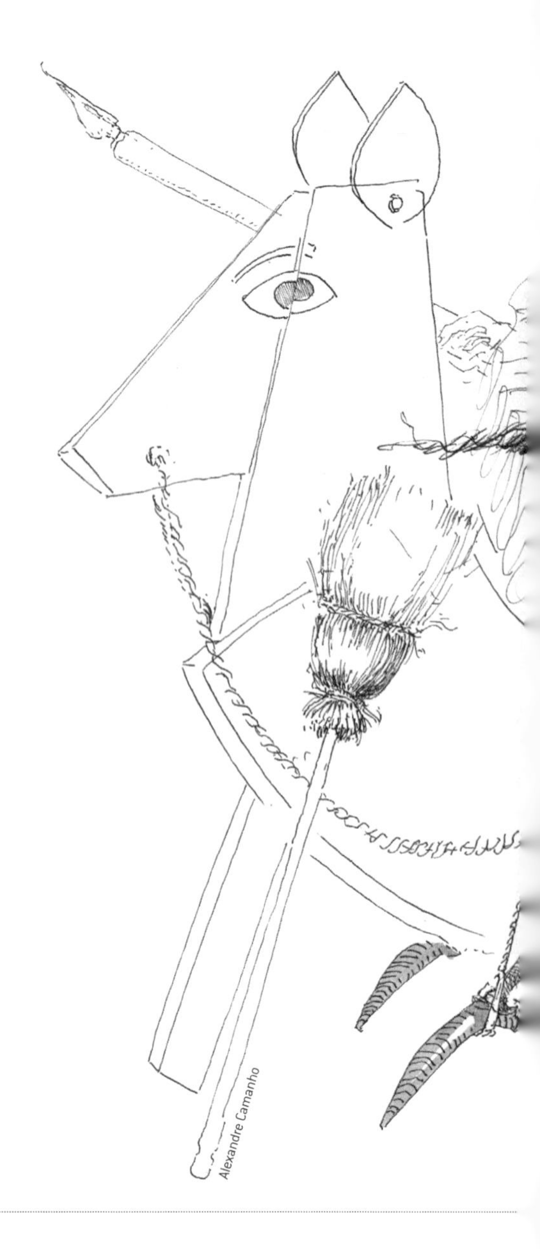

procurar seus filmes nas locadoras), há um sabor chapliniano na ingenuidade e na malícia, há algo de Jacques Tati, o cômico francês. Não seria difícil chegarmos ao Mr. Bean, tão atual. Ou a alguns políticos brasileiros que investem contra moinhos de vento.

Mas, acima de tudo, está o homem sonhador, o idealista, o que não aceita a tola realidade de seu tempo, enganosa, quase surreal. Dom Quixote existiu e existirá sempre. Mudam os tempos, os heroísmos (dizia Brecht: "Triste é a época que precisa de heróis"), os ídolos, os ideais. Nosso Quixote hoje lutaria contra a corrupção, a falta de ética, o terrorismo, a canalhice dos políticos, o fundamentalismo, o cinismo dos governantes, a arrogância da elite financeira, o amoralismo, a ganância desenfreada, a ilusão das Bolsas e do chamado Mercado, o conformismo e a apatia dos povos, a mediocridade reinante na intelectualidade e nas artes.

Ignácio de Loyola Brandão

Nasceu em Araraquara, interior do estado de São Paulo, em 1936. Tem 40 livros publicados entre romances, contos, crônicas, viagens, infantis e uma peça teatral. É cronista do Caderno 2 do jornal *O Estado de S. Paulo.*

DOM
QUIX

OTE

Como um fidalgo pobre se tornou o famoso cavaleiro Dom Quixote de la Mancha

Num lugar da Mancha[1], cujo nome nem quero lembrar, viveu, tempos atrás, um fidalgo pobre. Tudo o que possuía era um pouco de terra, uma casa simples e um cavalo magro. Só comia ensopado, mais de vaca que de carneiro, guisado à noite, ovos fritos com torresmo, lentilhas e, como prato de domingo, filhote de pombo. Com isso já gastava quase todo o seu dinheiro.

Morava com ele uma criada, que passava dos quarenta, e uma sobrinha, que ainda não tinha vinte. O fidalgo beirava os cinquenta anos. Era rijo, com corpo de pouca carne, rosto ossudo, muito madrugador e amante de caçadas. Diziam alguns que seu sobrenome era Quixada; outros, que era Quesada; e ainda houve quem escrevesse sobre ele chamando-o de Quexana. Isso pouco importa à nossa história. Basta que não nos afastemos de contar a verdade.

[1] A Mancha é uma região da Espanha que faz parte de Castela-Mancha, um dos planaltos mais extensos da Península Ibérica, caracterizada por paisagens áridas.

Esse homem lia histórias de cavalaria com tanto gosto que, por causa delas, esquecia os cuidados que devia ter com a fazenda. Chegou a ponto de vender terra para comprar livros e levar para casa todas as histórias de cavaleiros andantes que tinha encontrado. Gostava de discutir com o padre da aldeia qual tinha sido o maior cavaleiro, se Palmeirim da Inglaterra ou Amadis de Gaula[2]. Mergulhou tanto nessas leituras que já não dormia bem. E, com tanto ler e pouco dormir, acabou perdendo o juízo.

Tinha a cabeça cheia de desafios e batalhas, amores e enfrentamentos, feitiços e ferimentos, disparates de todo tipo. Para ele, essas invenções eram as histórias mais verdadeiras do mundo. Quando perdeu a razão, ocorreu-lhe o pensamento mais estranho que um louco já tivera: decidiu que seria um cavaleiro andante. Sairia pelo mundo afora, montado em seu cavalo, com arma em punho, à procura de aventuras. Enfrentaria lutas das quais sairia sempre vencedor, e, assim, seu nome e sua fama seriam eternos.

Animado com a ideia, limpou a armadura que tinha sido dos bisavôs. Como faltava uma parte do elmo, improvisou uma viseira de papelão

[2] Palmeirim da Inglaterra é personagem de um romance de cavalaria português, escrito por Francisco de Morais (1500-1572), considerado um dos melhores do gênero. Amadis de Gaula é personagem de famoso romance de cavalaria em prosa, o primeiro composto na Espanha ou em Portugal.

e prendeu-a com ferro por dentro. Em seguida, foi ver seu cavalo, magro de causar dó, mas que lhe parecia um animal extraordinário. Passou quatro dias pensando que nome daria a um cavalo tão bom de um cavaleiro tão nobre. Por fim, resolveu chamá-lo de Rocinante, nome que lhe pareceu imponente, significativo e musical.

Batizado o cavalo, quis batizar a si mesmo. Passou oito dias pensando. Decidiu que passaria a chamar-se Dom Quixote. Lembrou que o valente Amadis de Gaula adotara o nome de seu reino como sobrenome, para que sua terra fosse tão famosa quanto ele. Juntou, então, ao próprio nome o da terra de origem, intitulando-se Dom Quixote de la Mancha. Agora, só faltava uma dama por quem se apaixonar. Dizia a si mesmo:

— Se, como costuma acontecer a cavaleiros andantes, eu encontrar pelo caminho algum gigante e, enfrentando-o, sair vitorioso, não seria bom mandá-lo ajoelhar-se diante de minha senhora?

Num lugarejo, perto de onde ele morava, havia uma lavradora muito bonita por quem ele já andara apaixonado, sem que ela sequer percebesse ou tomasse conhecimento da existência dele. Chamava-se Aldonça Lourenço. Ele achou que ela merecia ser a dona de seus pensamentos, mas precisava de um nome que parecesse ser o de uma grande senhora. Passou a chamá-la Dulcineia del Toboso, pois ela tinha nascido em El Toboso. E o nome pareceu-lhe imponente, significativo e musical, como os que tinha dado a si mesmo e a seu cavalo.

CAPÍTULO 2

A primeira saída de Dom Quixote

Tomadas as providências, uma manhã, antes de o sol raiar, Dom Quixote montou em Rocinante, empunhou a lança e partiu muito satisfeito. Já estava em campo aberto quando percebeu algo terrível: não tinha sido armado cavaleiro e, pela lei da cavalaria, não poderia entrar em combate. Decidiu que isso seria feito pelo primeiro que encontrasse, tal como acontecera com muitos outros cavaleiros, de acordo com o que tinha lido.

Cavalgou o dia inteiro sem que lhe acontecesse nada. Ficou desesperado, porque queria logo entrar em confronto com alguém, para demonstrar a força de seu braço. Ao anoitecer, cavalo e cavaleiro estavam exaustos e famintos. Olhando de um lado para outro em busca de um abrigo, Dom Quixote avistou uma pousada.

Apressou o passo. Duas prostitutas estavam à porta. Como tudo que lhe acontecia ele acreditava ser como nos livros, pensou ter chegado a um castelo com quatro torres e ponte levadiça. As mulheres pareceram-lhe belas e graciosas donzelas.

As duas, ao verem se aproximar um homem armado, fugiram. Dom Quixote, então, levantou a viseira, mostrou o rosto cansado e disse:

— Não se assustem, belas damas! Sou da ordem dos cavaleiros andantes e jamais perturbaria donzelas de tanta classe.

As prostitutas começaram a rir, e Dom Quixote não gostou. Quanto mais elas riam da linguagem e da aparência dele, mais irritado ele ficava. A situação teria se agravado, se não tivesse chegado o dono da pousada, que, contendo o riso, convidou o fidalgo a entrar. Dom Quixote pediu-lhe que cuidasse bem de seu cavalo, pois era o melhor que havia no mundo.

Mal viu o animal, o homem percebeu que o pobre bicho não era nada do que seu dono tinha dito. Levou-o à estrebaria. Quando voltou, o fidalgo e as mulheres já haviam se entendido. Elas se empenhavam em retirar-lhe a armadura, composta de várias partes. Não era fácil. Tiraram a couraça do peito e do espaldar, mas não conseguiram retirar a gola nem o elmo, que estava preso com nós. Perguntaram se ele queria comer algo.

— Eu comeria qualquer coisa — respondeu.

Trouxeram-lhe uma porção de bacalhau malcozido e um pão tão preto e sujo como as armas dele. Como não tinham conseguido retirar o elmo, ele precisava de ajuda para comer, enquanto segurava a viseira com as mãos. As mulheres não conseguiam parar de rir da situação. Nesse momento, um castrador de porcos tocou uma gaita. Dom Quixote ficou ainda mais convencido de que estava num castelo, que o jantar era servido com música, o bacalhau malfeito era uma deliciosa truta, o pão sujo era de farinha especial, as prostitutas, damas nobres e o dono da pousada, um castelão. Só uma coisa o preocupava: ainda não fora armado cavaleiro, o que o impedia de viver as aventuras gloriosas que esperava.

Como Dom Quixote foi armado cavaleiro

Dom Quixote estava tão desconsolado por não ter sido armado cavaleiro que, terminado o jantar, ajoelhou-se diante do dono da pousada e disse:

— Não levanto daqui, nobre cavaleiro, antes que me conceda a graça de armar-me cavaleiro, para que eu possa servir à humanidade.

O dono da pousada, a princípio, ficou confuso, sem saber o que fazer. Mas, como o fidalgo não se levantava, prometeu fazer o que ele pedia.

— Quero que me arme cavaleiro amanhã cedo — continuou Dom Quixote. — Para isso, vou passar a noite velando as armas na capela de seu castelo, porque é assim que deve ser.

O dono da pousada, que era um tanto gozador, já havia percebido que o fidalgo estava doido. Concordou com tudo, só para ter do que rir depois. Disse a Dom Quixote que, quando jovem, ele também tinha sido cavaleiro andante e vivera muitas aventuras. Agora estava recolhido, mas sentia grande prazer em receber em seu castelo os andantes que por ali passassem.

— O único problema — acrescentou — é que a velha capela do castelo foi derrubada e a nova ainda não está pronta. As armas terão de ser veladas no pátio, e, pela manhã, será armado cavaleiro e tão cavaleiro como melhor no mundo não poderá haver.

Dom Quixote concordou entusiasmado. O dono da pousada perguntou-lhe se trazia algum dinheiro. Respondeu que não, nunca tinha lido sobre isso nos livros. O outro observou:

— Isso é tão óbvio que os autores nem falam a respeito. Mas cavaleiros levam consigo não só dinheiro, mas roupas para trocar, além de remédios e ataduras para tratar dos ferimentos de batalha. E todos têm um escudeiro.

Dom Quixote prometeu tomar essas providências e foi para o pátio velar as armas. Colocou-as sobre a tampa do bebedouro dos animais e iniciou sua ronda, caminhando de um lado para outro. E assim ficou até que um tropeiro resolveu dar de beber aos bichos. Quando o homem começou a retirar as armas da tampa, Dom Quixote gritou:

— Não se atreva a tocar nas armas do andante mais valente, se não quiser perder a vida pelo atrevimento!

O tropeiro não o levou a sério e jogou longe as armas. Dom Quixote, indignado, invocou sua senhora Dulcineia, pegou a lança e deu um golpe tão forte na cabeça do tropeiro que o homem caiu desmaiado. De imediato, recolocou suas armas onde estavam e continuou a ronda, como se nada tivesse acontecido.

Sem saber do ocorrido, apareceu um segundo tropeiro com a mesma intenção de dar água aos animais. Quando ele estava retirando as armas da tampa do bebedouro, sem uma palavra, o fidalgo atingiu-o com um golpe de lança, rachando-lhe a cabeça. Ao ouvirem os gritos, os que estavam na pousada vieram correndo. Começaram a jogar pedras em Dom Quixote, que se protegia com o escudo, mas sem abandonar o lugar junto às armas. O dono da pousada gritava, explicando que se tratava de um maluco, mas Dom Quixote gritava ainda mais alto que ele. Gritou tanto que, assustados, todos pararam de apedrejá-lo e foram cuidar dos feridos.

Querendo se livrar logo da confusão, o dono da pousada decidiu abreviar as coisas. Pediu desculpas a Dom Quixote e disse-lhe que o fato de ele ter velado as armas por duas horas já era o suficiente: estava pronto para receber a ordem negra da cavalaria. Pegou um toco de vela e o caderno onde anotava as contas da pousada e chamou as prostitutas. Pediu a Dom Quixote que se ajoelhasse, abriu o caderno, fingiu ler uma oração e, erguendo a mão, deu-lhe um tabefe no pescoço e uma pranchada com a espada no ombro.

— Que Deus o faça grande e valente cavaleiro e o proteja nos combates que enfrentar!

Em seguida, pediu a uma das mulheres que colocasse a espada na cintura dele e à outra que lhe colocasse as esporas. Quase sem conter o riso, elas obedeceram. O novíssimo

cavaleiro declarou que dedicaria a elas parte da honra conquistada em suas batalhas.

Terminada a rápida cerimônia, Dom Quixote não via a hora de montar em seu cavalo e partir em busca de aventuras. Despediu-se do dono da pousada, agradecendo muito por tê-lo armado cavaleiro. O homem também não via a hora de vê-lo pelas costas. Nem lhe cobrou a conta.

CAPÍTULO 4

O que aconteceu ao nosso cavaleiro quando partiu

Dom Quixote não cabia em si de entusiasmo por ter sido armado cavaleiro. Mas não esquecia as recomendações de que precisava de dinheiro, de algumas mudas de roupa e também de um escudeiro. Ainda não havia cavalgado muito quando teve a impressão de ouvir vozes e gritos.

"Sem dúvida, essa é a voz de alguém que necessita da minha ajuda", pensou.

Foi na direção de onde vinham as vozes e viu um rapazinho, preso a uma árvore, sendo surrado por um fazendeiro alto e forte.

— Não vou fazer mais, meu senhor! — gemia o rapazinho. — Prometo cuidar melhor do rebanho.

— Pare, covarde! — gritou Dom Quixote. — Não bata em quem não pode se defender.

— Cavaleiro, esse rapaz é meu criado — explicou o homem. — O trabalho dele é cuidar das minhas ovelhas, mas todo dia desaparece uma. E ainda diz que não lhe pago o salário há nove meses.

— Desamarre-o agora mesmo e pague o que lhe deve, se não quiser perder a vida.

— Lamento, cavaleiro, mas não tenho o dinheiro aqui.

E, dirigindo-se ao criado, disse:

— Venha até a minha casa, André, que vou lhe pagar tudo.

— Não vou não! — gritou o rapaz, olhando para Dom Quixote. — Ele vai acabar comigo!

Dom Quixote, então, fez o grandalhão jurar pela lei da cavalaria que cumpriria sua promessa. O homem jurou sem vacilar, e o fidalgo ficou satisfeito:

— Sou o valoroso Dom Quixote de la Mancha, protetor dos injustiçados. Que não lhe passe pela cabeça descumprir o que foi jurado ou voltarei para castigá-lo.

Seguiu seu caminho. Tão logo desapareceu da vista do grandalhão, o sujeito amarrou de novo o rapaz na árvore e deu--lhe tantos açoites que quase o matou. Foi assim que o valoroso Dom Quixote reparou uma injustiça...

Quando chegou a uma encruzilhada, sem saber qual caminho escolher, soltou a rédea de Rocinante, deixando que ele o levasse para onde quisesse. O cavalo, como é natural, seguiu o caminho de casa. Não demorou muito, porém, Dom Quixote viu um grupo de comerciantes que vinha de Toledo. Quando o grupo se aproximou, o cavaleiro gritou:

— Alto! Ninguém passa antes de declarar que não há no mundo mulher mais bela que a imperatriz de La Mancha: Dulcineia del Toboso.

Os comerciantes perceberam logo que se tratava de um maluco. O mais brincalhão do grupo disse:

— Senhor, nós não podemos declarar algo que nunca vimos. Se puder mostrar um retrato dela, por pequeno que seja, declararemos o que quer, mesmo que ela tenha um olho torto e do outro escorra enxofre.

Dom Quixote, furioso, gritou "canalha infame!" e arremeteu a lança contra o gozador. Mas, por sorte ou por azar, Rocinante tropeçou, e cavalo e cavaleiro rolaram pelo chão. O fidalgo tentou se levantar, mas não conseguiu. Um tocador de mulas, que vinha junto com os comerciantes, aproximou-se do pobre caído, quebrou-lhe a lança e encheu-o de pontapés. Só parou quando ficou cansado. Mesmo apanhando, Dom Quixote não parava de vociferar contra os inimigos. Por fim, os comerciantes foram embora, deixando para trás o cavaleiro estirado e ferido no chão. No entanto, ele estava feliz. Vivera uma desgraça comum na vida de um cavaleiro andante, e, afinal, a culpa da derrota não tinha sido dele, mas de Rocinante.

CAPÍTULO
5

Onde se continua contando a desventura do nosso cavaleiro

Dom Quixote tinha apanhado tanto que não conseguia se mover. Por sorte, um vizinho dele passou por ali e, vendo o estado em que o fidalgo se encontrava, quis saber o que tinha acontecido. Mas Dom Quixote só dizia disparates e recitava trechos dos livros que tinha lido. O homem percebeu:

— Endoidou!

Retirou-lhe, então, o peito e o espaldar da armadura e, não vendo ferimento com sangue, colocou-o com muito esforço sobre o lombo de um burro. As armas de Dom Quixote, inclusive a lança que tinha sido quebrada, amarrou-as sobre Rocinante. E assim rumou para o povoado, aborrecido por ter que ouvir as maluquices que o cavaleiro não parava de dizer.

Quando chegaram, anoitecia. O vizinho esperou que a noite ficasse mais escura, para que Dom Quixote não fosse visto naquele estado, e dirigiu-se à casa do fidalgo, onde havia grande agitação. O padre e o barbeiro estavam lá e, muito preocupados, conversavam com a sobrinha, que dizia:

— Meu tio passava dias inteiros lendo esses livros de aventuras. Depois, pegava uma espada e saía lutando contra o ar. Quando, exausto, parava, dizia ter matado quatro gigantes do tamanho de quatro torres. Eu sou culpada, pois devia tê-los avisado, para que jogassem seus livros todos na fogueira.

— Eu concordo — disse o padre.

Nesse momento, chegaram o vizinho e Dom Quixote. Os da casa correram para recebê-los e ajudar a carregar o fidalgo para a cama. Ele tentava se explicar:

— Estou assim porque tive uma queda com Rocinante, enquanto combatia um gigante dos mais perigosos que há na Terra.

Pediu para comer e dormir. O padre reafirmou sua decisão de queimar os livros de aventura do amigo. E, de fato, o fidalgo ainda dormia quando, na manhã seguinte, o padre e o barbeiro foram pedir à sobrinha a chave da biblioteca do tio. Retiraram todos os livros da estante para ver se havia algum que pudesse escapar do fogo. A sobrinha e a criada achavam melhor queimar logo todos, mas o padre preferiu examinar os títulos. O primeiro que lhe caiu nas mãos foi *Amadis de Gaula*.

— Este foi o primeiro livro de cavalaria que se imprimiu na Espanha. Os demais vieram dele. Então, devemos jogá-lo ao fogo.

— Não, senhor — disse o barbeiro. — Ouvi dizer que de todos é o melhor, uma obra de arte. Vamos poupá-lo.

[3] Primeira obra impressa de Cervantes, em Alcalá de Henares, em 1585, com o título *Primeira parte de A Galateia*. A segunda parte nunca foi publicada.

Muitos livros, porém, foram jogados pela janela, salvo um ou outro que, como *Amadis*, eles decidiram que deveria ser preservado.

— Este é *A Galateia*[3], de Miguel de Cervantes — disse o barbeiro.

— Há muitos anos que esse Cervantes é meu amigo — disse o padre. — Seu livro é criativo, propõe algo, mas não conclui. Melhor esperar pela segunda parte. Vamos guardá-lo.

A segunda saída de Dom Quixote

A essa altura, ouviram a voz do fidalgo.

— Aqui, aqui, cavaleiros, mostrai a força de vossos braços!

Jogaram os últimos livros pela janela e correram até o quarto dele. Estava em pé, dando golpes a torto e a direito. Trataram, então, de colocá-lo de volta na cama. Nessa mesma noite, a criada queimou todos os livros que estavam no quintal e também os que tinham ficado na casa. Não sobrou nenhum.

O padre e o barbeiro resolveram construir uma parede que impedisse a entrada de Dom Quixote na biblioteca. Dois dias depois, quando ele se levantou, a primeira coisa que fez foi procurar por seus livros. Como não encontrava o quarto onde os guardava, ficou inquieto. Perguntou por eles à criada, que lhe respondeu:

— Mas que quarto com livros o senhor procura? Já não há livros nesta casa. O próprio diabo veio aqui e levou todos com ele.

— Não era o diabo, mas um feiticeiro — corrigiu a sobrinha. — Levou não só os livros, mas a própria biblioteca.

— Há um feiticeiro — disse Dom Quixote — que é grande inimigo meu, porque sabe que vou acabar lutando contra um cavaleiro que ele protege. Mas de nada adianta ele ter feito o que fez, pois o que tem de ser ninguém pode evitar.

Por quinze dias, o cavaleiro permaneceu sossegado em casa, conversando muito com o padre e o barbeiro. Mas mandou chamar seu vizinho, um lavrador de coração bom e miolo mole, para convencê-lo a tornar-se seu escudeiro. Prometeu que, se conquistassem uma ilha, o pobre homem seria nomeado governador. Animado com a promessa, Sancho Pança — era esse o seu nome — deixou mulher e filhos e foi ser escudeiro do fidalgo.

Resolvido isso, Dom Quixote procurou conseguir dinheiro. Vendendo uma coisa, empenhando outra, malbaratando todas, reuniu uma quantia razoável. Arranjou armas, consertou a armadura como pôde e tomou emprestado um escudo. Avisou Sancho Pança do dia da partida, pedindo-lhe para levar sacos de mantimentos. Sancho disse que pretendia levar também um burro, porque não estava acostumado a caminhar. Dom Quixote não se lembrava de ter lido algo semelhante, mas concordou, pensando que arranjaria um cavalo para Sancho, quando derrotasse o primeiro cavaleiro que surgisse em sua frente.

Partiram no meio da noite sem se despedir de ninguém.

— Não esqueça, senhor cavaleiro andante, que me prometeu uma ilha para governar — disse Sancho.

— Deve saber, amigo Sancho, que era costume, entre os antigos cavaleiros andantes, nomear seus escudeiros governadores de ilhas ou de reinos conquistados em combate. Pretendo fazer o mesmo. E pode até ser que antes de seis dias eu consiga um reino e possa coroá-lo rei.

— Se eu fosse rei, minha querida mulher seria rainha e meus filhos, infantes.

— E quem duvida?

— Eu — replicou Sancho. — Ela não serve para rainha, senhor. Condessa lhe cairia melhor e, mesmo assim, só Deus ajudando muito.

CAPÍTULO 7

O que aconteceu na espantosa e inimaginável aventura dos moinhos de vento

De repente, no caminho, avistaram uns trinta moinhos de vento.

— Hora de aventura, Sancho Pança! Está vendo aqueles enormes gigantes? Vou combatê-los e matá-los, para livrar a terra dessa má semente.

— Que gigantes?!

— Aqueles de braços enormes.

— Senhor, olhe bem! Não são gigantes, mas moinhos. E não são braços, mas pás que giram com o vento.

— Bem se vê que você não entende nada de aventuras, Sancho. Se sente medo, fique afastado, enquanto lhes dou combate.

Esporeou Rocinante sem dar ouvidos aos gritos do escudeiro, que repetia não serem gigantes o que ele via. Quando o cavaleiro chegou bem perto dos moinhos, o vento começou a soprar e as pás, a se mover.

— Movam os braços quanto quiserem — bradou Dom Quixote —, pois vou enfrentá-los!

Ofereceu a luta a sua dama Dulcineia e, com a lança em riste, arremeteu contra o primeiro moinho. Nesse momento, o vento soprou mais forte ainda. As pás dos moinhos giraram com mais força e estilhaçaram a lança do fidalgo, que, assim como o cavalo, foi jogado pelos ares.

Sancho disparou para socorrê-lo, o mais rápido que seu burro conseguia, o que não era muito. Quando chegou perto do cavaleiro, ouviu dele esta explicação:

— O mesmo feiticeiro que roubou meus livros transformou os gigantes em moinhos para que eu não tivesse a glória de vencê-los.

O escudeiro ajudou-o a levantar-se e o cavaleiro decidiu que, quando prosseguissem, seguiriam pela estrada com mais movimento, onde certamente encontrariam maiores aventuras. Acomodaram-se sob as árvores. De uma delas, Dom Quixote arrancou um galho e nele prendeu o ferro que tinha sobrado da lança quebrada. Não dormiu à noite. Ficou pensando em sua Dulcineia, como faziam os cavaleiros dos livros que lia. Sancho Pança dormiu profundamente. No dia seguinte, foram em frente.

— Sancho, mesmo que me veja em perigo, não me defenda. É contra a lei da cavalaria.

— Pois não, senhor. Serei muito obediente a isso, pois sou pacífico e não gosto de me envolver em problemas.

Nesse momento, apareceram na estrada dois frades montados em mulas. Atrás deles, vinha uma carruagem protegida por alguns homens. Como se soube mais tarde, na carruagem viajava

uma senhora que ia a Sevilha para encontrar o marido. Os frades não viajavam com ela. Mas, ao vê-los, Dom Quixote disse:

— Ou muito me engano ou esta será uma grande aventura! Aqueles dois vultos negros são feiticeiros que raptaram a princesa e a levam presa na carruagem. Vou salvá-la!

— Isso vai ser pior que os moinhos de vento — murmurou Sancho. — Observe, senhor, que aqueles são frades da ordem de São Bento e a carruagem deve ser de algum viajante.

— Você não sabe nada, mas nada mesmo, de aventuras, Sancho — disse o cavaleiro, avançando na direção dos frades.

— Criaturas endiabradas — gritou —, libertem a princesa sequestrada ou se preparem para morrer!

Espantados, os frades responderam:

— Senhor cavaleiro, não somos endiabrados, somos beneditinos. Nem sabemos quem vem na carruagem.

— Fala mansa não me engana, seus canalhas! — bradou Dom Quixote, atirando a lança no primeiro frade, que caiu da mula, enquanto o outro partia em disparada.

Sancho, então, aproximou-se do frade caído e começou a tirar-lhe a roupa. Os criados que protegiam a carruagem da senhora perguntaram a Sancho o que ele estava fazendo.

— Meu patrão ganhou a batalha, portanto, os despojos são meus.

Os criados agarraram Sancho e deram-lhe uma surra tão grande que ele ficou desacordado.

Enquanto isso, Dom Quixote foi até a carruagem:

— Fique tranquila, senhora minha, pois derrotei seus sequestradores. E, para que saiba o nome de seu libertador, digo que me chamo Dom Quixote de la Mancha. Como pagamento por meu ato só lhe peço que volte a El Toboso, conte a minha amada Dulcineia o que fiz e diga-lhe que dedico a ela essa vitória.

— Suma daqui! — gritou um escudeiro da senhora.

— Não ouse falar comigo, sou um cavaleiro!

Da discussão, os dois passaram à luta. O homem cortou meia orelha do fidalgo e deixou-o caído. Mas nosso cavaleiro ergueu-se e deu um golpe na cabeça do escudeiro que o fez jorrar sangue pelo nariz, pela boca e pelos ouvidos. De imediato, a senhora da carruagem pediu ao fidalgo que poupasse a vida de seu escudeiro.

— Concedo o que pede, senhora, com a condição de que esse homem se apresente a Dona Dulcineia para que ela faça com ele o que bem lhe aprouver.

A senhora prometeu que assim seria feito e partiu, sem sequer perguntar quem era essa tal Dulcineia nem onde poderia encontrá-la.

CAPÍTULO
8

O que Dom Quixote e Sancho Pança conversaram após uma vitória

Terminada a luta, Dom Quixote montou em Rocinante. Seu escudeiro, ainda machucado, ajoelhou-se diante dele, dizendo:

— Meu senhor, agora me dê o governo da ilha que acabou de ganhar no combate. Por maior que seja, saberei governá-la.

— Amigo Sancho, essa foi uma aventura qualquer, e não daquelas em que se ganham ilhas. Não passou de aventura de encruzilhada. O que nela se ganha é uma cabeça quebrada ou uma orelha a menos. Tenha paciência. Virão muitas outras aventuras das quais poderá sair governador ou algo maior que isso.

Sancho beijou-lhe a mão agradecido e, troteando, seguiu atrás do amo. A certa altura, percebeu que a orelha de Dom Quixote sangrava.

— O senhor está ferido. Trago fios e um pouco de unguento nos sacos de viagem.

— Isso seria desnecessário, se eu tivesse comigo o bálsamo de Ferrabrás[4]. Uma só gota dele dispensa qualquer remédio. Com ele, cuja receita sei de memória, não é preciso temer a morte. Quando, em batalha, partirem meu corpo ao meio, basta juntar as duas partes e me dar dois goles do bálsamo. Ficarei bom na mesma hora.

— Se tem essa fórmula, senhor, eu desisto da ilha e tudo o que quero é a receita do bálsamo. Posso vender essa droga e ter uma vida muito confortável. O que espera para me dar a receita?

— Cale-se! Tenho segredos maiores que esse para lhe ensinar. Agora, cure minha orelha com esse unguento, que ela está doendo. E veja se tem algo para comermos, antes de chegarmos a algum castelo onde possamos passar a noite e preparar o bálsamo.

— Tenho apenas cebola, um pedaço de queijo e porções de pão. Não é comida digna de um cavaleiro como o senhor.

— Está enganado! É uma honra para um cavaleiro andante passar um mês sem comer ou só comer o que encontra. Saberia disso, se tivesse lido os livros que li.

[4] O bálsamo de Ferrabrás é um medicamento capaz de curar todas as feridas, segundo o imaginário dos romances de cavalaria. Teria sido composto com os restos dos perfumes usados para ungir Jesus antes de seu sepultamento. É citado em várias canções de gesta, especialmente *Ferrabrás*, obra de autor desconhecido do século XII.

— Perdoe-me, senhor. Não sei ler nem escrever, tampouco entendo da vida dos cavaleiros. De agora em diante, vou encher os sacos de mantimentos com frutas secas, para o senhor que é cavaleiro. Para mim, que não sou, vou trazer alimento de mais substância.

— Não quis dizer que os cavaleiros são obrigados a comer só isso, mas que deveriam ser capazes de comer apenas erva do campo.

— É bom que eu conheça essas ervas, pois, do jeito que as coisas vão, vamos acabar precisando delas.

E, assim conversando, comeram o que tinham para comer. Tentaram chegar a um povoado antes que escurecesse, mas o sol sumiu e tiveram que passar a noite ao relento, perto de cabanas de guardadores de cabras.

CAPÍTULO 9

O que aconteceu a Dom Quixote na companhia de uns cabreiros

Os pastores de cabras receberam Dom Quixote e Sancho muito bem. Convidaram os dois para comer com eles. Tiraram carnes de cabrito de um caldeirão, armaram uma mesa rústica sobre as peles que cobriam a terra e deram a Dom Quixote uma gamela, para que, emborcada, ele pudesse sentar-se nela como se fosse uma cadeira. Foi o que o cavaleiro fez, mas Sancho permaneceu em pé.

— É para que você veja, Sancho, as honras que recebe um cavaleiro andante. Quero que se sente aqui, ao meu lado, junto a essa boa gente.

— Bondade sua, meu senhor, mas prefiro comer em pé, sozinho e à vontade, sem cuidados e respeitos. Mais prazer me dá comer pão e cebola no meu casebre do que perus em outras mesas, tendo que comer devagar, sem espirrar nem tossir.

— Mesmo assim, sente-se! A quem se humilha, Deus exalta — exclamou Dom Quixote.

Pegou-o pelo braço e o fez sentar-se a seu lado para comer. Como sobremesa, serviram castanhas de carvalho. Nosso cavaleiro pegou um punhado delas e depois fez um longo discurso. Houve música e um cabreiro cantou, ao som de uma rabeca.

A certa altura, um dos pastores, vendo a orelha ferida de Dom Quixote, mascou umas folhas de alecrim, misturou-as com sal e fez um emplastro, garantindo-lhe que bastava isso para que ficasse curado.

Foi então que apareceu por lá um rapaz com a notícia de que o famoso pastor estudante tinha morrido por causa de Marcela, moça muito rica que andava vestida como se fosse pastora. Dom Quixote pediu a Pedro, um de seus hospedeiros, que lhe contasse quem eram o morto e a pastora.

— O que sei — disse Pedro — é que o morto era fidalgo rico e estudado, e sabia nos avisar quando seriam as crises do sol e da lua.

— Eclipses, não crises — corrigiu Dom Quixote.

— Também avisava se, naquele ano, a terra seria fértil ou *ester*.

— Estéril, meu amigo — voltou a corrigir o fidalgo.

— Tanto faz. O que aconteceu foi que ele e um amigo passaram a se vestir de pastores para se aproximar de Marcela. Vou lhe dizer quem é essa moça, pois nunca ouviu nem vai ouvir o que vou contar, nem que viva mais anos do que Sarna.

— É Sara[5], não sarna — replicou Dom

[5] Sara é uma personagem bíblica, mulher de Abraão, que, segundo o livro de Gênesis, 23, 1, viveu 127 anos.

Quixote, que já não estava suportando mais as trocas de palavras do cabreiro.

— A sarna também dura muito — replicou Pedro. — E, se continuar me interrompendo, a história não vai acabar antes do fim do ano.

— Desculpe, mas há tanta diferença entre Sara e sarna que tive que interromper. Mesmo assim, tem razão. A sarna dura mais do que durou Sara.

— O que eu estava dizendo, senhor, é que Marcela aos quinze anos era tão bela que todos se apaixonavam perdidamente por ela. Muitos a pediram em casamento, mas ela sempre disse não. Quando se vestiu de pastora e foi para o campo, fidalgos e pastores passaram a segui-la. Ela conversa com todos, mas, se algum lhe fala em casamento, ela o despacha. Por isso, a moça tem causado mais estragos do que a peste. Sua beleza e delicadeza fazem com que todos a amem, mas seu desdém leva-os ao desespero. Aconselho que vá ao enterro amanhã, pois não é coisa que se perca.

— Eu irei — respondeu o cavaleiro.

Dom Quixote passou a noite pensando em Dulcineia, imitando os apaixonados por Marcela. Sancho Pança acomodou-se entre o burro e Rocinante e dormiu como dorme quem sente o corpo todo moído.

CAPÍTULO
10

Uma história de pastores

Logo que amanheceu, os cabreiros despertaram Dom Quixote, para que fosse com eles ao enterro. Pouco depois de iniciada a caminhada, viram seis pastores vestidos de preto, com a cabeça coroada por grinaldas de cipreste e aloendro, em sinal de luto. Com eles, dois fidalgos a cavalo. Iam todos ao sepultamento e passaram a andar juntos.

Um dos pastores perguntou a Dom Quixote por que andava de armadura em terra tão pacífica, a que o fidalgo respondeu:

— Minha profissão exige que eu ande assim. As armaduras foram feitas para os cavaleiros andantes, e eu sou o mais novo deles.

Todos perceberam que se tratava de um maluco. Foram em frente e avistaram os pastores que carregavam o corpo de Grisóstomo, coberto de flores, em direção ao pé da montanha, lugar onde o morto tinha visto Marcela pela primeira vez. Ele havia manifestado a vontade de ser sepultado naquele lugar.

Um amigo do morto levou um maço de escritos de Grisóstomo e, enquanto era cavada a sepultura, leu seu último poema, intitulado "Canção desesperada". Nesse exato momento, apareceu

Marcela. Os que nunca a tinham visto contemplaram-na em silêncio. Quem estava acostumado a vê-la nem por isso deixou de admirá-la. Um amigo do morto, indignado com a presença dela, perguntou se estava ali para ver o resultado da própria crueldade. Ela, então, respondeu:

— Venho para dizer a todos vocês que não sou culpada por essa morte. Nunca incentivei o amor de Grisóstomo nem o de ninguém. Não tenho culpa se a minha beleza faz com que se apaixonem por mim. Sou rica, sou livre e não me sujeito a ninguém. Não amo nem engano. Não zombo de um, não me divirto com outro. Na verdade, não pretendo casar com homem nenhum.

Dito isso, Marcela deu as costas e retirou-se em direção ao bosque. Alguns tentaram segui-la, mas, tão logo Dom Quixote percebeu a intenção deles, pôs-se em ação, servindo, como lhe cabia, à donzela necessitada. Pôs a mão no punho da espada e gritou:

— Que ninguém se atreva a ir atrás dela!

Mas, depois que todos partiram, ele entrou no bosque à procura de Marcela para lhe oferecer seus serviços. Não a encontrou, mas, sim, outra aventura.

CAPÍTULO 11

A desventurada aventura com os galegos

Na versão desta história contada por Cide Hamete Benengeli, autor árabe e da Mancha, Dom Quixote e o escudeiro entranharam-se no bosque e por ele andaram por mais de duas horas sem encontrar sinal de Marcela. Quando chegaram a um lugar fresco, onde corria um riacho, decidiram desmontar, comer e descansar.

Rocinante pastava solto quando deparou com uma manada de éguas, pertencente a uns galegos que também descansavam ali. Pois Rocinante sentiu desejo de não apenas cheirar as senhoras éguas, mas de ter com elas maiores intimidades. Elas, no entanto, pareciam mais interessadas em pastar do que em outras coisas e o receberam a coices. Quando os tropeiros perceberam o que estava acontecendo, vieram correndo. Deram tantas pauladas em Rocinante que o derrubaram no chão. Dom Quixote e Sancho correram também para socorrer o cavalo.

— Amigo Sancho, bem pode me ajudar a vingar o que fizeram a Rocinante — disse Dom Quixote.

— Vingar? Mas eles são mais de vinte! Nós somos apenas dois ou — quem sabe? — um e meio.

— Eu valho por cem — replicou Dom Quixote.

Sacou a espada e investiu contra os galegos, acompanhado por Sancho. Em instantes, os galegos os derrubaram, e lá ficaram os dois caídos ao lado de Rocinante.

— Senhor Dom Quixote! — chamou Sancho com voz de lamúria.

— O que é, irmão? — respondeu o amo com o mesmo tom sofrido.

— Queria que me desse dois goles daquele bálsamo de Ferrabrás.

— Se eu o tivesse comigo, não nos faltaria nada. Mas juro que vou consegui-lo em dois dias.

— Mas quantos dias acha que vamos levar para conseguir mexer os pés?

— Isso eu não sei, mas sei que a culpa do que aconteceu foi minha, por brigar com quem não era cavaleiro como eu. Fique avisado, Sancho: quando gente canalha nos ofender, caberá a você, e não a mim, aplicar o castigo.

— Senhor, eu sou manso e pacífico. Fique avisado de que jamais lutarei contra canalha ou cavaleiro e que, desde já, perdoo todas as ofensas que me fizeram, fazem ou vierem a fazer.

— Está muito equivocado, Sancho. Se eu lhe der a ilha que prometi, vai precisar de muita coragem para defendê-la.

— Eu gostaria muito de ter toda essa coragem, mas, por ora, veja se o senhor consegue se levantar, para irmos juntos ajudar Rocinante a se erguer. Nunca esperei que ele fizesse o que fez. Pensei que fosse uma criatura casta como eu. Bem se diz que nada é seguro nessa vida.

Sancho levantou-se gemendo, colocou como pôde seu senhor sobre o burro e ergueu Rocinante. Cavaleiro e escudeiro encaminharam-se para a estrada principal. Pouco depois, avistaram uma pousada.

— Um castelo! — exclamou Dom Quixote.

— É uma pousada — disse Sancho.

— É um castelo! — teimou o amo.

E assim, discutindo, chegaram ao local.

CAPÍTULO
12

O que aconteceu ao engenhoso fidalgo na pousada que imaginava ser castelo

Quando o dono da pousada viu Dom Quixote atravessado no asno, perguntou a Sancho o que tinha acontecido. Ele mentiu que seu amo havia caído de um rochedo. A mulher e a filha do homem, que era uma moça muito bonita, vieram tratar dos ferimentos do cavaleiro. Veio também uma criada para ajudar. Era uma mulher de rosto largo, nariz chato, sem pescoço, com um olho torto e outro não muito são.

Cuidadas as feridas, arrumaram um colchão velho onde o fidalgo pudesse repousar e o puseram num lugar que, pelo visto, devia ter sido um palheiro. A criada quis saber de Sancho quem era aquele homem tão machucado.

— É Dom Quixote de la Mancha, um dos mais valentes cavaleiros andantes do mundo.

A criada, chamada Maritornes, não sabia o que era um cavaleiro andante. Dom Quixote, que escutava tudo, sentou-se na cama como pôde e dirigiu-se à dona da pousada:

— Formosa senhora, sois venturosa por ter acolhido a minha pessoa em vosso castelo. Guardarei na memória os cuidados que recebi e a vós serei grato enquanto me dure a vida.

As mulheres não entendiam bem o que ele dizia e achavam a sua aparência muito estranha. Mas agradeceram e foram tratar de Sancho, que precisava tanto de cuidados quanto seu senhor. Bem perto de onde ficou estirado o cavaleiro, estava a cama de um tropeiro que se alojava por lá. A criada e o tropeiro já tinham combinado que, quando todos estivessem dormindo, ela iria até a cama dele.

No espaço onde os viajantes pernoitavam, a dura cama de Dom Quixote era a primeira depois da porta. Junto à cama do fidalgo, Sancho improvisou a sua. Depois, ficava a cama do tropeiro, que, deitado, esperava pela mulher. Sancho, com muita dor nas costas, tratou de dormir. Dom Quixote, igualmente dolorido, mantinha, porém, os olhos bem abertos e fantasiava ter chegado a um famoso castelo e que a filha do castelão, apaixonada por ele, viria encontrá-lo naquela mesma noite. Mas jurava a si mesmo que não trairia Dulcineia del Toboso.

O cavaleiro perdia-se nesses disparates quando entrou a criada, descalça e com camisola de saco, à procura do tropeiro. Dom Quixote de imediato se sentou na cama e estendeu os braços, imaginando que iria abraçar uma bela mulher. A criada pesada e caolha esbarrou nos braços do cavaleiro e ele a puxou para si. Tão grande era a cegueira do pobre fidalgo que nem o tato, ao apalpar a roupa tosca da mulher, nem o olfato, ao perceber o bafo de alho dela, nem os outros cheiros que fariam vomitar qualquer um que não o tropeiro o tiravam da fantasia de que segurava nos braços a deusa da beleza.

— Quisera eu, digna e formosa senhora, poder corresponder

à distinção que me faz. Mas para mim é impossível satisfazê-la, pois sou fiel a Dulcineia del Toboso.

A criada tentou se livrar dos braços de Dom Quixote, mas ele a prendia com força. O tropeiro, percebendo que ele não a largava, ergueu o braço e deu um tremendo murro no queixo do cavaleiro, que ficou com a boca banhada de sangue. Quando saltou sobre ele, a cama desabou. O dono da casa acordou com o barulho e, desconfiado de que a criada estivesse aprontando mais uma das suas, começou a chamar por ela.

Maritornes, então, enfiou-se na cama de Sancho Pança e ficou lá bem encolhida. Quando Sancho sentiu aquele vulto quase em cima dele, pensou tratar-se de uma bruxa e começou a esmurrá-la. A criada revidou e os dois travaram uma luta renhida e engraçada. O tropeiro, então, deixou Dom Quixote e foi acudir sua dama. O dono da pousada também foi ter com a criada, mas para castigá-la. E a cena ficou assim: o tropeiro batia em Sancho; Sancho batia na criada; a criada revidava e batia no escudeiro. No momento em que a lamparina do patrão se apagou, todo mundo batia em todo mundo.

Um guarda, que também pernoitava na pousada, veio, quase no escuro, saber o que estava acontecendo. Encontrou Dom Quixote sem sentidos sobre a cama. Pensando que estava morto, gritou:

— Fechem a porta da pousada, daqui não sai ninguém! Um homem foi assassinado.

Enquanto o guarda procurava uma lamparina, foram todos saindo de fininho. Só ficaram Dom Quixote e Sancho Pança.

CAPÍTULO 13

Onde continuam os acontecimentos na pousada

Quando Dom Quixote recobrou os sentidos, chamou o escudeiro:

— Amigo Sancho, está dormindo?

— Dormindo?! Que nada! Pobre de mim! Parece que apanhei de mil diabos.

— Pode acreditar que sim. Acho que este castelo é encantado. Vou lhe contar uma aventura, mas deve jurar que não contará a ninguém.

— Juro!

— Esta noite, a bela filha do castelão veio me procurar neste leito. E, quando estávamos em conversa doce e amorosa, surgiu um gigante que me agrediu tanto que deduzi que guardava o tesouro da donzela para outro cavaleiro que não eu.

— Nem eu, porque levei uma surra daquelas. O senhor ainda teve nos braços uma bela mulher, mas eu só levei porretada de todo lado sem saber por quê. E nem sou cavaleiro... Não sou nem quero ser. Mesmo assim, sempre levo a pior.

— Não se preocupe. Vou preparar o bálsamo e ficará bom num piscar de olhos.

Nesse momento, surgiu o guarda com uma lamparina na mão para ver o suposto morto.

— Senhor, esse não é o ser encantado que bateu em nós? — perguntou Sancho.

— Não, não é. Os encantados são invisíveis.

O guarda aproximou-se e disse ao cavaleiro:

— Então, como está, bom homem?

— Como se atreve a me chamar de bom homem? Não é assim que se trata um cavaleiro andante.

O guarda ergueu a lamparina com azeite quente e bateu com ela na cabeça de Dom Quixote. E, como tudo ficou às escuras, ele se foi.

— Pelo jeito — observou Sancho — é o mesmo ser encantado.

— De fato. Mas, agora, Sancho, levante e vá buscar um pouco de azeite, vinho, sal e alecrim, para que eu prepare o bálsamo.

Sancho conseguiu os ingredientes com o dono da pousada e levou-os para o amo. O cavaleiro misturou e cozinhou os ingredientes, enquanto repetia orações. Preparado o líquido, ele o bebeu. Não demorou muito, começou a vomitar e a suar. Deitou-se, cobriu-se e pediu para ficar só. Quando acordou, sentia-se melhor e acreditou haver acertado na composição do bálsamo de Ferrabrás. Concluiu que, dali em diante, nada tinha a temer.

O escudeiro pediu para beber o resto do bálsamo. O cavaleiro consentiu. A reação de Sancho, porém, foi bem diferente. Teve ânsia e náuseas, desmaio e diarreia. Pensou que fosse morrer. Durou mais de duas horas o seu suplício. Dom Quixote, ao contrário, sentia-se muito bem e quis logo partir. Ele mesmo selou o cavalo e procurou o dono do local para agradecer pela hospedagem.

— Cavaleiro, não quero agradecimento — respondeu o dono da pousada. — Quero que me pague a comida dos animais, a sua e a de seu criado, e também pelo uso das camas.

— Então, isto é uma pousada?!

— Com muita honra!

— Eu julgava que fosse um castelo. O senhor deve dispensar meu pagamento, porque um cavaleiro andante não paga por pouso ou comida. Acolher a quem combate a injustiça é um dever.

— Não tenho nada a ver com isso. Só quero que pague o que me deve.

— Pois é um safado — retrucou o cavaleiro, esporeando Rocinante e deixando Sancho para trás.

O escudeiro também se negou a pagar a conta que o patrão não pagara. Mas, para azar dele, andavam por ali uns arruaceiros que tinham ouvido a conversa. Fizeram Sancho descer do burro, seguraram uma manta pelas bordas, jogaram o escudeiro nela e começaram a arremessá-lo para o alto, no meio do pátio. Os gritos de Sancho chegaram aos ouvidos de Dom Quixote, que voltou, mas encontrou a porta trancada. Podia ver Sancho voando pelos ares, indo bem acima do muro. Os homens davam gargalhadas e só pararam quando ficaram cansados.

Maritornes socorreu Sancho com um jarro de água, mas ele pediu vinho. Saiu da pousada contente por não ter pagado a bebida e meio tonto também. Por isso não percebeu que a conta havia sido paga com os sacos de provisões que estavam nas ancas do burro. O dono da pousada surrupiou-os enquanto Sancho era arremessado pelos malvados.

CAPÍTULO 14

Onde se conta a troca de ideias entre Sancho e seu amo e outra aventura que merece ser contada

Sancho, bem murcho, aproximou-se do amo, que disse:

— Estou convencido, meu bom Sancho, que, fosse castelo, fosse pousada, aquele lugar era encantado. Quem se divertiu à sua custa, com tanta maldade, só pode ser gente de outro mundo.

— Pois para mim não eram seres de outro mundo nem encantados, mas gente de carne e osso como nós. E todos tinham nome: Pedro, Tenório, João... Tenho pensado que, com tantas desventuras que nos acontecem, o melhor que temos a fazer é voltar para a nossa terra.

— Você sabe pouco mesmo da vida da cavalaria. Não tenha medo, Sancho. O céu há de nos trazer sorte melhor.

Assim conversavam, quando viram avançar uma nuvem de poeira grande e espessa.

— Vê aquela poeira levantando, Sancho? Pois é um enorme exército de cavaleiros e gigantes, formado por diversos povos, que por ali vem marchando.

— Então, são dois exércitos, porque daquele lado também vem uma enorme nuvem de poeira.

Dom Quixote imediatamente pensou que dois exércitos iriam se encontrar na vastidão da planície. Mas o que, de fato, se aproximava eram dois grandes rebanhos de ovelhas e carneiros, que a poeira mantinha invisíveis a certa distância.

— Não ouve o relincho dos cavalos, Sancho? — e Dom Quixote começou a nomear cavaleiros e esquadrões que dizia avistar.

— Só ouço balidos de ovelhas e carneiros.

— Eu vou até lá para ajudar os necessitados — gritou Dom Quixote, partindo como um raio.

— Volte aqui, senhor Dom Quixote! Vai atacar ovelhas e carneiros! O que vai fazer?! E eu, que mal fiz a Deus?

Dom Quixote entrou no meio do rebanho e pôs-se a atacar os animais com a lança. Os pastores gritaram para que parasse, mas, como ele não ouvia, começaram a lhe jogar pedras. Uma delas acertou-lhe as costelas. Ele, então, apanhou a garrafa com o bálsamo para beber uns goles, e logo outra pedra despedaçou a garrafa. As seguintes arrancaram-lhe alguns dentes, machucaram seus dedos e derrubaram-no do cavalo. Quando os pastores se aproximaram dele, pensaram que estivesse morto. Reuniram o rebanho e desapareceram. Sancho veio socorrer o patrão.

— Veja quantos dentes perdi, Sancho.

Sancho quase enfiou a cabeça na boca do patrão. Nesse momento, o bálsamo produzia efeito no estômago do cavaleiro. Ele vomitou na cara de Sancho, que, de nojo, vomitou também na cara do patrão. Quando foi procurar algo com que limpasse a si e ao cavaleiro, Sancho percebeu que os sacos de mantimentos não mais estavam nas ancas do burro. Quase enlouqueceu de desespero e prometeu a si mesmo voltar para casa, mesmo perdendo a chance de um dia governar uma ilha.

Ao vê-lo tão desolado, Dom Quixote consolou-o, dizendo que boas coisas estariam por vir, porque o bem e o mal não duravam para sempre. Estavam sofrendo tanto que o bem só poderia estar próximo.

— Sancho, agora guie você, escolha o caminho — disse.

Sancho escolheu a estrada principal e o que aconteceu será lido no capítulo seguinte.

CAPÍTULO
15

O que lhes aconteceu com um defunto

A escuridão surpreendeu os dois na estrada. Estavam famintos e não tinham onde dormir. Mas, como aquela era a estrada principal, eles imaginaram não estar muito longe de alguma pousada onde pudessem se abrigar. De repente, viram avançar na direção deles uma porção de luzes, como se fossem estrelas que se moviam. Sancho tremeu. Dom Quixote arrepiou-se.

— Ai de mim! — gemeu Sancho. — Mais uma aventura de fantasmas. Assim não há costela que aguente.

— Fique tranquilo. Por mais fantasmas que venham, não permitirei que lhe toquem — prometeu o amo.

Quando puderam ver mais de perto as luzes, perceberam que eram tochas acesas nas mãos de uns vinte cavaleiros. Atrás deles, vinha uma liteira coberta de luto, seguida de mais seis cavaleiros enlutados até as unhas. Uma visão tão estranha àquela hora e naquele lugar era de amedrontar qualquer um. Para Dom Quixote, contudo, essa seria mais uma aventura. Imaginou que conduziam um cavaleiro morto e que seu dever era vingá-lo. Do meio da estrada, gritou:

— Digam quem são, de onde vêm, aonde vão e o que levam na liteira!

— Temos pressa e muito caminho pela frente. Não podemos responder a tantas perguntas — gritou um dos homens.

Dom Quixote não gostou do que ouviu e segurou pelas rédeas o cavalo de quem lhe respondeu de tal modo. O animal assustou-se, levantou as patas traseiras e jogou o cavaleiro ao chão. Dom Quixote, então, começou a arremeter a lança, com fúria, contra uns e outros. Era gente medrosa: fugiram todos pelo campo afora. O cavaleiro exigiu a rendição de um homem que havia caído, que lhe suplicou:

— Não me mate, sou seminarista. Os que fugiram são sacerdotes que levavam o corpo de um cavaleiro para sepultar em Segóvia.

— Quem o matou?

— Deus. Ele morreu de febre.

— Sendo assim, Nosso Senhor livrou-me do trabalho que me daria vingar essa morte. Saiba que sou um cavaleiro da Mancha, de nome Dom Quixote, e que é meu ofício andar pelo mundo endireitando o que é torto e desfazendo os agravos.

— Então, senhor cavaleiro andante, me ajude a desentortar, tirando-me debaixo dessa mula. Minha perna ficou presa entre o estribo e a sela.

Dom Quixote gritou por Sancho, que estava muito ocupado roubando as sacolas de mantimentos deixadas pelos fugitivos.

Quando tinha apanhado tudo o que podia, apareceu e disse ao seminarista:

— Se os que fugiram quiserem saber quem foi o destemido cavaleiro que os atacou, diga que foi o famoso Dom Quixote de la Mancha, também chamado de "O Cavaleiro da Triste Figura".

Dom Quixote quis saber por que Sancho o tinha chamado assim e o escudeiro explicou:

— Porque fiquei olhando-o à luz da tocha e, de fato, tem a pior figura que eu já vi na vida. Talvez seja por causa do cansaço, talvez porque lhe faltem alguns dentes.

— Não, não é isso. É que o sábio a quem couber escrever a minha história gostará que eu tenha um cognome. Foi uma inspiração, Sancho. Vou adotá-lo daqui por diante e deve ser pintado em meu escudo.

Seguiram caminho até encontrar um vale onde pudessem acampar e comer. Estendidos na relva, almoçaram, jantaram, petiscaram, tudo ao mesmo tempo. Mas, para desgraça de Sancho, não tinham vinho nem água para beber.

CAPÍTULO 16

Que conta aventura nunca vista nem ouvida

— Não é possível, meu senhor, que, havendo por aqui tanto verde, não haja alguma fonte ou cachoeira em que possamos matar a sede.

E foram andando na escuridão da noite, que não permitia ver nada. Alegraram-se ao ouvir um barulho que parecia ser de cachoeira. Mas logo um estrondo lhes aguou a alegria, principalmente a de Sancho, que era muito medroso. Golpes compassados estremeciam o chão. E os golpes não paravam, o vento não dormia nem a manhã despertava. Dom Quixote pulou sobre Rocinante, lança em punho.

— Amigo Sancho, sou aquele a quem estão reservados as façanhas, os perigos, os atos de coragem. Sou quem há de ressuscitar os cavaleiros da Távola Redonda[6] e todos os que viveram em outras épocas. Aquilo que aos demais causa medo a mim encoraja. Fique com

[6] Os cavaleiros da Távola Redonda pertenciam à mais alta ordem da cavalaria na corte do rei Artur, figura mítica cuja lenda tem origem na literatura celta do século V. Versões do século XV sobre a lenda do rei Artur incorporaram elementos cristãos e saxônicos ao relato mais antigo.

Deus e espere-me por três dias. Se até lá eu não voltar, avise à minha senhora Dulcineia que seu cavaleiro morreu, tentando ser digno de seu amor.

Sancho pôs-se a chorar com a maior ternura do mundo, pedindo ao amo que não partisse. Não adiantou. Quando viu que ia ficar sozinho em meio à escuridão, apelou para a esperteza. Enquanto apertava os arreios de Rocinante, amarrou as patas traseiras do cavalo às rédeas de seu burro. Assim, quando o cavaleiro quis partir, não conseguiu. O cavalo não andava, dava saltos.

— Foi o céu, senhor, que, comovido com minhas lágrimas, paralisou Rocinante.

Dom Quixote desesperou-se. Quanto mais esporeava o animal, menos ele se movia. Teve que esperar o amanhecer.

Sancho sentia tanto medo daquele estrondo compassado que se abraçou à perna do cavaleiro. Pediu-lhe que não se incomodasse com isso, pois pretendia contar-lhe uma história. Começou a contá-la, mas, a todo momento, o cavaleiro interrompia a história para criticar a narração do escudeiro. Uma hora, Sancho sentiu vontade de fazer o que ninguém podia fazer por ele. O medo, no entanto, não o deixava largar a perna do patrão. E a vontade só aumentava. Quando não aguentou mais, abriu o cinto, ergueu um pouco a camisa, deixou caírem as calças e aliviou-se ali mesmo. Não conseguiu, porém, evitar certos ruídos.

— Que barulhos são esses, Sancho?

— Não sei, senhor. Deve ser alguma novidade...

E continuou fazendo o que tinha começado. Por sorte, conseguiu, sem mais ruídos, livrar-se da carga que o incomodava. Como Dom Quixote tinha o olfato tão apurado quanto a audição, e Sancho não largava a perna dele, era inevitável que as exalações chegassem, quase em linha reta, ao nariz do fidalgo. Quando este sentiu o cheiro, apertou as narinas e disse com voz fanhosa:

— Pelo jeito, você está mesmo com muito medo, Sancho.

— Se estou! Como percebeu?

— Porque o cheiro que vem daí não é exatamente de rosa!

— A culpa não é minha. É sua, meu senhor, porque me traz numa hora dessas para este lugar estranho.

— Por favor — disse Dom Quixote sem destapar o nariz —, afaste-se uns três ou quatro passos para lá.

Quando Sancho percebeu que ia raiar o dia, desamarrou Rocinante e vestiu as calças. O fidalgo, vendo que o cavalo se movia, entendeu ser esse um sinal de que era hora de aventura. Repetiu a Sancho todas as palavras que tinha dito anteriormente, acrescentando que, quanto ao pagamento de seus serviços de escudeiro, não se preocupasse. Fizera testamento antes de deixar sua terra e nele determinava que os salários de Sancho Pança fossem pagos. Contudo, se retornasse da aventura, o criado poderia ter por certa a ilha prometida.

O cavaleiro andou em direção ao local de onde vinha o barulho dos golpes e da água. Sancho o seguiu, puxando o jumento pelo cabresto. Avançaram entre árvores sombrias até chegar a um pequeno prado, onde avistaram uma queda-d'água e umas casas tão malfeitas que até pareciam ruínas. Delas é que vinha o ruído. Aproximaram-se lentamente. Dom Quixote encomendava-se à sua senhora e também a Deus. Sancho não saía do lado dele. Deram mais cem passos e descobriram a causa do barulho que os assustara a noite inteira: uma máquina, composta de um pilão movido a água e seis toras de madeira, que, ao socarem, provocavam aquele estrondo.

Quando Dom Quixote viu do que se tratava, pareceu envergonhado. Olhou para Sancho e viu que ele tinha as bochechas inchadas pelo esforço para segurar a gargalhada. O cavaleiro acabou rindo, o que permitiu a Sancho soltar uma gargalhada atrás da outra e repetir, zombeteiro, as palavras solenes que Dom Quixote tinha dito ao partir.

O cavaleiro, então, zangou-se e bateu-lhe com a lança na cabeça. Disse que em livro nenhum tinha lido que um escudeiro pudesse ser tão conversador e abusado. E concluiu ordenando que, dali em diante, Sancho fosse mais calado e respeitoso.

CAPÍTULO 17

Onde se conta a aventura do elmo e outras coisas acontecidas ao nosso invencível cavaleiro

Começou a chover, mas fidalgo e escudeiro prosseguiam pelo caminho, quando Dom Quixote avistou um homem a cavalo, trazendo na cabeça algo que brilhava como se fosse ouro.

— Bem diz o ditado: quando uma porta se fecha, outra se abre. A porta da aventura que se fechou, enganando-nos com o pilão movido a água, abre-se agora para uma aventura maior. Se não estou enganado, o que aquele homem traz na cabeça é o elmo de Mambrino[7].

— O senhor veja bem o que diz e melhor ainda o que faz, para que não se engane como no caso do pilão.

— Meu Deus, homem! O que tem a ver elmo e pilão?

— Se eu pudesse falar como falava antes, explicaria por que o senhor está enganado.

[7] O elmo de Mambrino é citado em *Orlando furioso*, do poeta italiano Ludovico Ariosto (1474-1533), obra publicada em 1516, como um elmo encantado que conferia o poder, àquele que o usasse, de sair vitorioso em todas as lutas e batalhas.

— Por acaso não vê que aquele cavaleiro traz na cabeça o elmo de ouro?

— O que eu vejo é um homem montado num burro pardo como o meu, com uma coisa brilhante na cabeça.

— Pois aquilo é o elmo de Mambrino. Afaste-se e vai ver que, sem dizer uma palavra, eu vou me apossar do elmo que tanto desejei.

— Vou me afastar logo.

Na verdade, o elmo, o cavalo e o cavaleiro só eram vistos por Dom Quixote. Acontece que perto dali ficavam dois lugarejos, um deles tão pequeno que nem barbeiro havia por lá. Quando era preciso, o barbeiro do lugar maior ia até o lugar menor exercer o seu ofício, levando consigo uma bacia de latão. Quando começou a chover, o barbeiro, para não estragar o chapéu, pôs a bacia na cabeça e prosseguiu no seu asno, como Sancho havia dito.

Dom Quixote avançou e apontou a lança para o barbeiro, disposto a trespassá-lo de um lado a outro, dizendo:

— Defenda-se, miserável, ou me entregue o elmo encantado.

O barbeiro, quando viu a figura do cavaleiro, caiu do burro. Mas, rápido, levantou-se e desandou a correr, deixando a bacia para trás. Dom Quixote mandou Sancho apanhá-la e colocou-a na cabeça.

— Sem dúvida, este elmo foi feito para alguém com uma cabeça enorme.

— Por isso — disse Sancho — que ele até parece uma bacia de barbeiro.

O escudeiro teve vontade de rir, mas, lembrando-se de como isso enfurecia seu amo, ficou quieto. Apenas perguntou o que fariam com o asno que o barbeiro tinha deixado. Comentou que o animal era bom e que seu dono talvez nem voltasse para buscá-lo. Poderiam, então, ficar com o animal.

— Não é meu costume nem hábito na cavalaria deixar a pé os vencidos. Deixe o asno aí.

— Será que, pelo menos, posso trocar os arreios?

O cavaleiro nunca tinha lido nada nos livros sobre troca de arreios. Por isso, acabou consentindo. E seguiram por onde quis levá-los Rocinante.

Conta Cide Hamete Benengeli que, quando Dom Quixote ergueu os olhos, viu uns doze homens vindo a pé pela estrada, todos acorrentados e algemados. Eram condenados a trabalhos forçados nas galés, escoltados por quatro homens. Quando o cavaleiro soube disso, pensou logo em libertá-los. Foi perguntar aos guardas por que aqueles homens tinham sido presos.

— Foram condenados pelo rei. Portanto, não há o que perguntar, muito menos o que explicar.

— Mesmo assim — replicou Dom Quixote — quero saber deles a causa da desgraça em que caíram.

— Pois pergunte a eles — respondeu o guarda.

O cavaleiro perguntou ao primeiro por que tinha sido preso.

— Porque me apaixonei.

— Só por isso?

— Acontece que me apaixonei por uma mala de roupas finas, fiquei agarrado nela e não soltei mais. Fui apanhado em flagrante.

A mesma pergunta fez ao segundo, que, muito triste, nada lhe respondeu. Foi o primeiro que contou:

— Esse foi preso porque cantou como um canário.

— O quê?! — indignou-se Dom Quixote. — Cantores são mandados para as galés? Sempre ouvi dizer que quem canta seus males espanta.

— Pois esse cantou e vai chorar toda a vida — disse o primeiro preso.

— Não entendo — replicou Dom Quixote.

O guarda, então, explicou:

— Senhor cavaleiro, *cantar*, para essa gente, quer dizer confessar por meio de tortura. Esse preso é desprezado pelos outros marginais por não ter resistido ao sofrimento e confessado ser ladrão de gado. É como eles dizem: um *não* tem tantas letras quanto tem um *sim*.

Dom Quixote fez, então, a mesma pergunta ao terceiro preso. Este lhe disse que a razão de sua prisão era não ter tido dinheiro suficiente para subornar um escrivão.

O quarto preso, de aparência respeitável e barba branca até o peito, quando perguntado, chorou sem dizer palavra. O quinto preso falou por ele:

— Esse foi preso por intermediar certos negócios, ser alcoviteiro e fazer até feitiço.

A outro condenado, com roupa de estudante, Dom Quixote perguntou que crime tinha cometido. Este lhe respondeu:

— Fui preso porque me diverti demais com minhas duas primas-irmãs e com outras duas irmãs, que não eram minhas. A diversão com elas todas foi tanta que o parentesco ficou complicado. Peguei seis anos. Mas sou moço, e, contanto que eu consiga sobreviver, tudo se resolve.

Por último, ficou um homem de boa aparência e que estava muito mais acorrentado que os demais. Dom Quixote quis saber por qual motivo o mantinham assim.

— Porque ele sozinho cometeu mais crimes que todos os outros juntos e é tão esperto que, mesmo preso com tantas correntes, temos receio de que escape. É o famoso Ginesinho de Parapilha.

— Senhor guarda — disse o preso —, vá devagar com nomes e sobrenomes. Sou Ginês, e não Ginesinho; sou de Passamonte, e não de Parapilha.

Dirigindo-se, então, a Dom Quixote, disse que se o fidalgo quisesse ajudar alguém que o fizesse, em vez de ficar bisbilhotando a vida dos outros. E acrescentou:

— Se quiser saber da minha vida, poderá ler sobre ela no livro que estou escrevendo.

Dom Quixote pediu aos guardas que soltassem os prisioneiros, que, contra eles, nada tinham feito.

— Mas que piada! — exclamou o guarda. — Como se tivéssemos autoridade para soltá-los e o senhor para dar tal ordem!

Irritado, Dom Quixote xingou o guarda, e este mandou que ajeitasse a bacia na cabeça. Ambos se engalfinharam e armou-se uma grande briga. Os presos aproveitaram para fugir. Ginês de Passamonte tomou a arma de um guarda, e os demais condenados correram campo afora. Sancho pensou que, com certeza, os guardas trariam reforços e, portanto, era bom que ele e o cavaleiro sumissem logo dali.

Mas Dom Quixote ainda não estava satisfeito. Alcançou os presos e disse-lhes que estavam livres graças a ele e o que lhes pedia era apenas que fossem a El Toboso contar a Dulcineia o que fizera o Cavaleiro da Triste Figura. Ginês disse que de maneira nenhuma fariam isso. Precisavam se dispersar para não serem capturados. Dom Quixote zangou-se e xingou a mãe dele do modo que se sabe. Passamonte, que já havia percebido que o cavaleiro não era bom da cabeça, fez sinal para os outros condenados e todos se puseram a apedrejá-lo. Antes de irem embora, roubaram o fidalgo e o escudeiro, levando até parte da roupa deles. Como se não bastasse, amassaram a bacia.

CAPÍTULO 18

O que aconteceu a Dom Quixote na Serra Morena

Dom Quixote e Sancho Pança partiram em direção à Serra Morena para se esconderem por lá, caso a justiça os procurasse por haverem libertado condenados pelo rei. Os criminosos haviam deixado alguma comida, o suficiente para uns dias, e isso já animava Sancho.

Quis a fatalidade que Ginês de Passamonte, o ladrão libertado graças à loucura de Dom Quixote, escolhesse aquela mesma serra para se esconder e andasse pela mesma parte dela onde o cavaleiro e Sancho haviam se refugiado. O bandido esperou que os dois dormissem e furtou o asno de Sancho, já que Rocinante era montaria difícil de vender.

Ao acordar, Sancho deu falta do burro. Caiu em prantos. Dom Quixote consolou-o, dizendo que daria ordem por escrito para que, dos cinco jumentos que deixara em casa, três fossem dados a Sancho Pança. A promessa acalmou o escudeiro.

O cavaleiro à frente e Sancho atrás, carregando o que era antes fardo do burro, penetraram na parte mais inóspita da montanha. A certa altura, Dom Quixote viu uma maleta no chão.

Abriu-a e, dentro dela, encontrou roupas finas, um caderno de memórias e, embrulhadas num lenço, moedas de ouro. O cavaleiro pegou o caderno e entregou a Sancho as moedas, para que ele as guardasse.

No caderno, escritos com letra elegante, havia poemas e cartas de amor de um amante desprezado. O Cavaleiro da Triste Figura ficou ansioso por saber a quem pertencia a maleta. Continuaram a viagem, quando viram, saltando de pedra em pedra, com agilidade incomum, um homem com cabelo comprido e revolto, barba negra e espessa, descalço e seminu. Dom Quixote pensou que deveria ser esse o dono da maleta e quis alcançá-lo.

— É melhor não ir atrás dele — disse Sancho —, porque, se ele for o dono da maleta, vou ter que devolver as moedas de ouro.

— Por isso mesmo precisamos encontrá-lo, Sancho, para devolver o que é dele.

Picou o Rocinante, e, logo depois, encontraram uma mula morta, meio comida pelos cães. Ouviram um assovio e avistaram um rebanho de cabras e o velho pastor que as guardava. Dom Quixote gritou, chamando o pastor. O velho veio e perguntou o que faziam naquele lugar onde apenas cabras, lobos e outras feras costumavam andar.

— Devem estar olhando a mula morta naquele barranco — observou o pastor. — Está ali há seis meses. Acharam o dono dela?

— Não, só o que encontramos foi uma maleta bem perto daqui.

— Também encontrei, mas não quis tocar nela, com medo de que me acusassem de furto.

— Sabe de quem é? — perguntou o cavaleiro.

— O que sei é que há seis meses apareceu por aqui um homem de muito boa aparência, que se embrenhou serra adentro e só voltou a aparecer para atacar um pastor e levar o pão e o queijo que ele trazia. Passamos, então, a procurá-lo e só o encontramos vários dias depois de começada a busca. Estava metido no oco de uma árvore, bem desfigurado. Quando o fizemos sair, veio ao nosso encontro bem mansinho. Dissemos a ele que não precisava assaltar ninguém. Daríamos a ele a comida de que precisasse. Agradeceu, pediu desculpas, chorou. Mas, de repente, começou a amaldiçoar um tal Fernando, enfureceu-se, e percebemos que ele sofria de acessos de loucura.

A história contada pelo cabreiro encantou Dom Quixote e fortaleceu sua decisão de descobrir quem era aquele louco. Saiu a procurá-lo por toda a serra até encontrá-lo falando sozinho. Ao ver Dom Quixote e Sancho, cumprimentou-os amavelmente. Dom Quixote respondeu à saudação, desceu do cavalo e o abraçou, como se o conhecesse há muito tempo. Disse o rapaz:

— Se tiverem algo para comer, deem para mim, pelo amor de Deus, que farei o que mandarem.

Quando pegou a comida, devorou-a sem pausa. Depois, disse que contaria sua história, contanto que não fosse interrompido. O cavaleiro prometeu que não o seria.

— Meu nome é Cardênio, sou filho de nobres ricos da Andaluzia. Na terra onde nasci, nasceu também Lucinda, jovem nobre e rica como eu, porém mais feliz e menos constante. Eu a amei desde criança e ela também me quis. Quando eu pretendia pedi-la em casamento, o duque Ricardo, que, como devem saber, é um dos homens mais importantes da Espanha, mandou uma carta a meu pai, em que manifestava sua vontade de que eu fosse morar em seu castelo para ser companheiro de seu filho mais velho. Pedido como esse não se pode recusar, e meu pai me disse para dar graças a Deus, pois desse modo se abria caminho para que eu alcançasse boa posição na vida. Eu me despedi de Lucinda implorando que ela fosse leal e esperasse por mim. Ela prometeu me esperar e eu parti. Fui muito bem recebido no castelo do duque e, embora o filho mais velho fosse gentil comigo, de quem logo fiquei amigo foi do filho mais novo do duque, Fernando, um rapaz elegante, alegre, que logo fez de mim seu confidente. Contou que havia se apaixonado por uma lavradora e que a desejava muito, mas, como ela era muito reservada, para que ele conseguisse por inteiro o que queria, teve que prometer casar com ela. Eu ponderei que o pai dele jamais aprovaria o casamento com uma plebeia e aconselhei-o a desistir da moça. Soube depois que, na verdade, Fernando já havia conseguido dela tudo o que queria e, uma vez conquistado o que fazia arder seu desejo, perdera o interesse pela moça. Mas, a mim, o que ele disse foi que, para tentar esquecê-la, seria bom passarmos uns dias na casa de meu pai. O que Fernando queria, de fato, era escapar do castigo do duque, quando ele descobrisse o romance do filho com a plebeia. Fiquei contente com a decisão de meu amigo porque, assim, eu poderia rever Lucinda. E, uma vez em minha casa, fui eu mesmo que mostrei Lucinda a ele, que, ao vê-la, emudeceu. E, quando voltou a falar, era só nela que falava. Apaixonou-se de imediato pela minha amada. Um dia, Lucinda pediu-me um livro de que gostava muito: *Amadis de Gaula*.

Quando ouviu o nome do livro, Dom Quixote exclamou:

— Por que não disse logo que ela gostava de romances de cavalaria? Não precisa mais gastar palavras para falar de sua inteligência e beleza.

Cardênio deixou a cabeça cair, pensativo. O cavaleiro pediu a ele que continuasse a história, mas ele não respondeu. Teve um surto de loucura. Jogou pedras no fidalgo e deu murros em Sancho e no pastor que veio ajudar. Depois, saiu correndo pela montanha. Dom Quixote decidiu que precisava reencontrá-lo para ouvir o fim da história.

Que narra outras estranhas coisas que aconteceram na Serra Morena

Dom Quixote e Sancho Pança foram para o interior da montanha. Sancho estava louco para falar com o patrão, mas desejava que fosse este a iniciar a conversa, já que a proibição de que o escudeiro abrisse a boca viera dele. Como o cavaleiro permanecia calado, Sancho não suportou mais o silêncio e disse:

— Senhor, peço licença para voltar à minha casa, à minha mulher e aos meus filhos. Com eles posso falar o que quiser e quando quiser.

— Já entendi, Sancho. Pois pode falar comigo o que quiser, mas apenas durante o tempo em que andarmos por esta serra.

— Então, falo tudo agora, porque, depois, só Deus sabe o que será. Pode me dizer se está de acordo com as regras da cavalaria que andemos perdidos por essas montanhas, sem direção nem caminho, procurando um louco que, quando encontrado, talvez queira acabar o que começou, e não quero dizer terminar a história, mas voltar a jogar pedras na sua cabeça e nas minhas costelas?

— Cale-se, Sancho! É bom que saiba que não estou apenas à procura do louco, mas que pretendo realizar uma façanha que perpetue meu nome e minha fama pela Terra inteira.

— Essa façanha vai ser perigosa?

— Não. E o resultado dela depende de você.

— De mim?

— Sim, porque, se for depressa aonde vou mandá-lo, terá fim meu sofrimento e começará minha glória. Vou fazer uma penitência como fez Amadis, quando Oriana o desprezou.

— Mas Dulcineia não o desprezou.

— Esse é o ponto. Não há por que admirar um cavaleiro andante que enlouqueça por justa causa. A vantagem está em cometer desatinos sem motivo e provar à minha dama que, se no seco faço tanto, o que não farei no molhado? Eu sou louco e louco continuarei sendo, até que você volte com a resposta da carta que, por seu intermédio, vou enviar à minha senhora Dulcineia. Se a resposta for aquela que espero, acabará minha loucura e penitência. Se não for, enlouqueço de vez e, desse modo, não sentirei mais nada. Diga, guardou bem o elmo de Mambrino?

— Pelo amor de Deus, senhor! Já não tenho paciência para suportar as coisas que diz. E começo a pensar que tudo o que conta sobre cavalaria, sobre conquistar reinos, doar ilhas e outras graças e grandezas deve ser de brisa e mentira. Pois quem ouve o senhor dizer que bacia de barbeiro é elmo de ouro só pode pensar que está louco.

— Ora, Sancho, então ainda não sabe que entre os cavaleiros andantes há sempre uma legião de feiticeiros que invertem e transformam tudo? Por isso, a você parece ser bacia de barbeiro o que a mim parece ser o elmo de Mambrino e, para outro, há de parecer outra coisa. E ainda bem que é assim ou alguém teria pegado o elmo antes de mim. Muito bem, Sancho, ouça: vai partir daqui a três dias e quero que veja as loucuras que farei durante esse tempo para contar tudo a Dulcineia.

— Mas o que mais tenho eu para ver que ainda não tenha visto?!

— Falta que me veja rasgar a roupa, esparramar as armas por aí, bater a cabeça nas rochas e coisas assim. Mas ainda não sei como faço para escrever a carta.

Pensou por uns minutos e concluiu:

— Será escrita no caderninho de memórias de Cardênio. Você fará com que seja copiada com letra boa no primeiro lugar onde encontrar um professor ou um sacristão.

— E a assinatura?

— As cartas de Amadis nunca foram assinadas — respondeu Dom Quixote.

— E a ordem para receber os três burricos que me prometeu? Essa terá de ser assinada ou não vai valer nada.

— Vou assinar a ordem no mesmo caderninho, assim minha sobrinha não criará dificuldades. Quanto à carta de amor, pouco importa que seja escrita por mão alheia, porque Dulcineia não sabe ler nem escrever e nunca na vida viu minha letra. Meu amor e o dela sempre foram platônicos, nunca nada além da contemplação. Em doze anos, não cheguei a vê-la quatro vezes. E pode ser que, em nenhuma dessas vezes, ela tenha reparado, tal o recato e a clausura em que a criaram seu pai, Lourenço Corchuelo, e sua mãe, Aldonça Nogales.

— O quê?! Não vá dizer que a filha de Lourenço Corchuelo, conhecida como Aldonça Lourenço, é aquela a quem chama de senhora Dulcineia del Toboso!

— É ela mesma, a que merece ser senhora de todo o universo.

— Pois a conheço muito bem. É forte como um touro e brava como uma leoa. Quando abre a boca, ouve-se a voz dela a quilômetros de distância. E eu que até agora pensei tratar-se de uma delicada princesa...

— Você não passa de um asno, Sancho, mas vou contar uma história para ver se entende. Uma bela viúva rica apaixonou-se por um rapaz de boa aparência, mas que não passava de um idiota. Quando alguém a repreendeu, dizendo-se surpreso por ela, entre tantos homens cultos para escolher à vontade, ter escolhido um bobo, respondeu: "Está muito enganado se pensa que escolhi mal ao escolher fulano, que considera um idiota. Para aquilo que eu o quero, ele sabe tanto ou mais filosofia que Aristóteles". É assim, Sancho. Para o que quero, minha Dulcineia vale tanto quanto a mais bela princesa. Para acabar logo com essa conversa, eu imagino que tudo o que digo é como digo. Digam o que quiserem, para mim, nem Helena de Troia chega aos pés dela.

O cavaleiro escreveu a carta e a leu para Sancho, para que ele a guardasse na memória, em caso de perda.

— É necessário, Sancho, que me veja nu em pelo, dando cambalhotas, para que possa jurar que me viu nesse estado.

— Pelo amor de Deus, meu amo, eu não quero vê-lo nu em pelo. Faça as loucuras vestido.

E Dom Quixote, de cueca, deu duas cambalhotas no ar, ficou de cabeça para baixo e foi fazendo coisas como essas, enquanto Sancho se afastou. Então, ele subiu num alto penhasco e pôs-se a rezar. Depois, entreteve-se escrevendo e gravando versos em árvores em louvor a sua senhora.

Sancho Pança, indo em direção a El Toboso, passou pela pousada onde havia sofrido a brincadeira da manta. Quando a viu, sentiu-se mal, como se novamente estivesse sendo arremessado pelos ares. Desejava comer alguma coisa quente, mas ficou parado na porta da pousada, sem saber se deveria entrar ou não. Assim estava, quando saíram duas pessoas que logo o reconheceram. Uma perguntou à outra:

— Aquele não é Sancho Pança, que partiu com nosso aventureiro?

— É ele, sim, e o cavalo é o de Dom Quixote.

Eram o padre e o barbeiro da aldeia, os mesmos que queimaram os livros do fidalgo. Aproximaram-se e perguntaram pelo cavaleiro. Sancho declarou que seu amo estava ocupado

com algo muito importante. O barbeiro, então, disse:

— Se não disser onde ele está, vamos pensar que o matou e roubou o cavalo.

— Isso não me ameaça, porque não sou homem de matar nem de roubar. O que meu amo está fazendo é penitência no meio da serra.

Contou da carta que levava a Dulcineia. O padre e o barbeiro quiseram vê-la. Quando Sancho a procurou, não a encontrou. Deu em si mesmo tantos murros que ficou ensanguentado. Perdida a carta, tinha perdido também os burricos. Mas o padre o consolou, afirmando que seu amo haveria de confirmar a doação, quando aparecesse. Quanto à carta, Sancho disse que não era motivo de preocupação, porque sabia o seu conteúdo de cor e poderia repetir tudo.

— Pois repita — ordenou o barbeiro —, que vamos anotar.

Sancho coçou a cabeça, apoiou-se num pé, depois, no outro. Olhou para o chão, olhou para o céu, roeu quase toda a unha de um dedo e, após um tempo, disse:

— Sei que começava assim: "Alta e soterrada senhora".

— Deve ser "soberana" — observou o barbeiro.

— É isso. Depois, se não me engano, era assim: "O chegado e falto de sono beijam as suas mãos, ingrata e ignorada beleza". E dizia mais não sei o quê de saúde e doença e por aí ia até terminar assim: "Vosso até a morte, o Cavaleiro da Triste Figura".

Pediram a Sancho que repetisse a carta outras vezes, e tantas outras vezes ele repetiu os mesmos disparates. O padre concluiu que precisavam resgatar o fidalgo, mas antes tinham que combinar como fazê-lo. Também precisavam comer, que já era hora. Convidaram Sancho para entrar na pousada. Sancho respondeu que esperaria do lado de fora e depois explicaria o motivo. Pediu que trouxessem comida quente para ele e cevada para Rocinante.

O padre conversou com o barbeiro sobre seu plano: ele se vestiria de donzela e o barbeiro, de escudeiro. Iriam até onde estava o cavaleiro, e o padre, fingindo ser uma donzela em apuros, solicitaria a ajuda dele. Pediria ao fidalgo que a acompanhasse até seu destino, para reparar o mal que certo cavaleiro lhe havia feito. Pediria também para manter a máscara que lhe cobria o rosto e para que não lhe fizesse perguntas. Assim, trariam Dom Quixote de volta à sua terra, onde procurariam algum remédio para tão estranha loucura.

Como o padre e o barbeiro levaram adiante o plano e outras coisas que merecem ser contadas

O padre e o barbeiro comentaram com a dona da pousada sobre a loucura de Dom Quixote, contaram como pretendiam ajudá-lo e pediram a ela uma saia e umas toucas emprestadas. Com um rabo de boi improvisaram barbas longas. Ela se empenhou em ajudá-los a vestir os disfarces. Mas, quando deixaram a pousada, o padre pensou que não ficava bem para um sacerdote andar vestido daquele jeito. Propôs ao barbeiro trocarem de trajes. O barbeiro é que seria a donzela em apuros. Entraram em acordo quanto a isso e também acertaram que só se disfarçariam quando estivessem bem próximos do lugar onde estava o cavaleiro. Instruíram Sancho a dizer a seu amo que tinha ido à casa de Dulcineia e que trazia a resposta de que ela o esperava ansiosamente.

A certa altura, Sancho avisou aos dois que já podiam vestir os disfarces, pois faltava pouco para chegarem ao lugar onde estava Dom Quixote. O escudeiro foi na frente, enquanto os outros dois ficaram aguardando, perto de um riacho com boa sombra. De repente, para surpresa deles, ouviram um canto. Ficaram imóveis. Quando a voz se calou, ouviram soluços. Quiseram saber de quem se tratava. Foram verificar em silêncio: viram um homem que correspondia à descrição que Sancho fizera de Cardênio. E, de fato, era ele mesmo, e estava calmo. O padre, então, aproximou-se e logo se pôs a falar, tentando aconselhá-lo a deixar aquela vida miserável. Cardênio percebeu que os dois já sabiam algo de sua história e decidiu contar a eles o que dela faltava:

— Contei a Fernando, em minha casa, que pretendia pedir a mão de Lucinda ao pai dela, mas que ele exigia que fosse o meu pai, e não eu, a fazer o pedido de casamento. Confessei a ele que não tinha coragem de falar sobre isso a meu pai, porque achava que ele não queria me ver casado tão cedo, pelo menos não antes de saber que posição o duque Ricardo havia reservado para mim. Confessei também ao meu suposto amigo minha dificuldade em pedir qualquer coisa a meu pai, por achar que ele nunca concordaria com qualquer coisa que eu desejasse.

Fez uma pequena pausa e prosseguiu:

— Fernando disse para eu não me preocupar. Ele mesmo falaria com meu pai e faria tudo o que fosse preciso para meu casamento se realizar. Para isso, achava bom que eu me afastasse por uns dias. Pediu-me para ir até o seu irmão buscar certo dinheiro para a compra de uns cavalos. Parti. Dias depois, chegou um mensageiro com uma carta para mim. Reconheci a letra de Lucinda. Abri a carta tremendo. Ela me contava que Fernando a havia pedido em casamento a seu pai, que, entusiasmado, aceitara a proposta. A cerimônia já estava prestes a acontecer e de forma secreta. Ela esperava que eu voltasse a tempo de nos vermos antes disso. Voei em direção à casa dela e entrei escondido. Lucinda já estava vestida de noiva e me disse: "Estão me esperando. Assista ao que vai acontecer. Levo oculto um punhal. Vai saber o quanto lhe quero". Ao ouvir isso, eu também pensei em me matar. Aguardei, olhando entre as cortinas. Quando o padre perguntou se ela aceitava casar-se com Fernando, eu ouvi sua voz fraca dizer "sim". O mesmo disse o noivo. Fiquei desatinado pela raiva e pelo ciúme. Finda a cerimônia, Lucinda caiu desmaiada. A mãe dela afrouxou-lhe a roupa e encontrou um papel dobrado, que Fernando apanhou depressa. Fugi dali e, quando dei por mim, andava por estas serras. A história é essa, senhores. Não percam tempo dando-me conselhos.

O padre, mesmo assim, pretendia falar, mas foi interrompido por uma voz de lamento que lhe chegou aos ouvidos. Todos então se esconderam atrás de uma rocha para espiar um rapaz, com roupa de lavrador, que lavava os pés no riacho. Não conseguiam ver o rosto dele, mas foram se aproximando em silêncio e ficaram tão perto que puderam ver-lhe os pés de pele fina e formato delicado. Ficaram observando. O moço, então, retirou o chapéu e soltou uma longa e loira cabeleira que lhe envolveu o corpo. Era uma moça belíssima. Quando os homens resolveram aparecer, a moça, assustada, tentou fugir.

— Não é preciso fugir, senhora! Não lhe faremos mal, ao contrário...

Ela ficou parada, atônita. Eles se aproximaram, e o padre, estendendo-lhe a mão, disse:

— O que a sua roupa esconde os seus cabelos afirmam. Não deve ter sido por pouca coisa que precisou disfarçar tanta beleza. Conte com nossa ajuda.

— Não creio que haja ajuda nem consolo para mim, mas vou contar o que me aconteceu. Há um duque, um dos homens mais importantes da Espanha, que tem dois filhos. O mais velho é herdeiro de seu título e qualidades; o mais novo é herdeiro não sei do quê, se não for de enganos e traições. Meus pais são vassalos do duque. Não são fidalgos, mas de linhagem humilde. No entanto, são muito ricos. Sou filha única e eles cuidavam de mim como de um tesouro. Só saía de casa para ir à missa e bem cedo. Mesmo assim, os olhos de lince de Fernando, o filho mais novo do duque, me descobriram.

Ao ouvir o nome de Fernando, Cardênio perdeu a cor e começou a suar tanto que o padre e o barbeiro temeram que tivesse um de seus acessos de loucura. A moça prosseguiu:

— Fernando passou a me cercar de todas as maneiras. Mandava tocar música em minha rua, enviava cartas com frases e promessas de amor... Admito que isso não me incomodava. Fiquei até orgulhosa por atrair cavaleiro tão importante. Meus pais alertaram-me para ter cuidado, porque todos sabiam quais eram as intenções do famoso Dom Fernando. Por isso, nunca respondi às suas cartas, comportamento que aumentou ainda mais o desejo dele. Meus pais já haviam decidido que me casaria com outro, para acabar com essa situação. Então, uma noite, depois de fechadas as portas da casa, eu estava no meu quarto quando, de repente, vi Fernando diante de mim. Ele havia subornado uma criada. Fiquei sem reação. Ele me pegou em seus braços, fez muitas declarações de amor, todas falsas, porque ele é hábil na mentira. Suspirou e chorou por mim. Eu lhe disse que, fosse ele quem fosse, não conseguiria de mim o que eu guardava para meu esposo. Ele respondeu: "Não se preocupe, Doroteia" — pois é esse meu nome —, "juro que serei seu marido e o céu é testemunha do que digo".

Quando Cardênio ouviu o nome dela, estremeceu.

— Seu nome é Doroteia? Continue que eu também vou contar coisas que vão deixá-la espantada.

— Ponderei que seria um casamento muito desigual, o que, de modo algum, agradaria ao pai dele. Mas nada o deteve e ele me fez mil promessas. Quem não pretende pagar não regateia no preço. Fiquei pensando: não serei a primeira que passa da condição humilde à nobreza por meio de casamento. Nem Fernando será o primeiro a casar com mulher de condição inferior atraído pela beleza dela. Cedi. Depois que satisfez seu apetite, ele saiu do meu quarto o mais rápido que pôde. Antes, tirou um anel de seu dedo e pôs no meu. Disse que voltaria nas noites seguintes, mas voltou só mais uma vez. Tempos depois, eu soube que ele havia casado com uma bela mulher, filha de gente importante, embora não tão rica que pudesse pretender uma união tão nobre. O nome dela era Lucinda, e no seu casamento ocorreram coisas inesperadas.

Ao ouvir o nome da amada, Cardênio mordeu o lábio e lágrimas escorreram por seu rosto.

— Na noite em que Fernando casou com Lucinda — continuou Doroteia —, após ter dito o "sim", ela desmaiou. Encontraram sob seu traje um bilhete em que dizia não poder ser de Fernando, porque já era de Cardênio. Tinha dito "sim" apenas em obediência aos pais. Pretendia matar-se. Entre as roupas, também encontraram oculto um punhal. Fernando apanhou a arma e a teria apunhalado, se os pais dela não o tivessem impedido a tempo.

Depois disso, Lucinda deixou a cidade, Fernando desapareceu, e Doroteia fugiu para a serra para se esconder do pai.

CAPÍTULO 21

Como continuou a aventura para tirar o cavaleiro da penitência

— Peço — apelou Doroteia — que me indiquem algum lugar onde eu possa passar o resto da minha vida, sem ser descoberta pelos que andam a minha procura.

O padre ia responder, mas foi interrompido por Cardênio:

— É Doroteia, filha de Clenardo, homem muito rico?

— Como sabe o nome do meu pai?

— Porque sou aquele que, como acabou de contar, Lucinda considera esposo dela. Eu sou Cardênio, reduzido a este estado em que me vê por obra do mesmo sujeito que a enganou. Prometo que não vou deixá-la desamparada, até que Dom Fernando repare com casamento o mal que lhe causou.

O barbeiro, que até então estivera calado, contou brevemente o motivo que trouxera a ele e ao padre até ali — a estranha loucura de Dom Quixote — e disse que estavam esperando o escudeiro que fora buscá-lo. Nesse momento, ouviram os gritos de Sancho, que não os encontrara no lugar onde antes estavam. Apressaram-se para ir ao encontro dele, perguntando pelo cavaleiro. O escudeiro disse que o tinha encontrado seminu, fraco, faminto e amarelo.

Quando Doroteia soube do plano para tirar Dom Quixote de onde estava, disse que poderia fazer o papel de donzela em perigo bem melhor do que o barbeiro e que só precisaria trocar de roupa. Tranquilizou-os:

— Deixem isso comigo. Li muitos livros de cavalaria e conheço bem o modo como, nessas histórias, as donzelas infelizes suplicam aos cavaleiros andantes.

— Ótimo — disse o padre. — Agora, tudo ficou mais fácil.

A moça procurou, na mala que trouxera na fuga, roupas que pudessem impressionar Dom Quixote. Quando Sancho Pança a viu, ficou impressionado. Perguntou ao padre quem era aquela mulher tão bela.

— Esta bela senhora, Sancho, é herdeira de um grande reino, chamado Micomicão. Ela veio até Dom Quixote para pedir-lhe um favor: que a ajude na luta contra um perverso gigante.

— Que sorte! Tenho certeza de que meu amo matará esse gigante e, depois, quem sabe ele case com essa moça, que não chamo pelo nome porque o desconheço.

O padre foi rápido e bem-humorado na invenção:

— Como o reino dela é Micomicão, é claro que ela se chama princesa Micomicona.

Sancho ficou satisfeito. Doroteia montou na mula do padre, o barbeiro disfarçou-se com a barba falsa, e Sancho os levou a Dom Quixote. Cardênio e o padre ficaram esperando.

Quando Doroteia avistou o fidalgo, desceu da mula com desenvoltura e correu para atirar-se de joelhos a seus pés. Ele tentou erguê-la, mas ela disparou a falar como falam as princesas nas histórias de cavalaria:

— Não me ergo daqui, valoroso cavaleiro, antes que sua bondade o faça agir em defesa da donzela mais ofendida que já existiu neste mundo. Se a força de seu braço corresponde à fama imortal que conquistou seu nome, há de socorrer esta infeliz, que vem de terras distantes em busca de seu auxílio.

— Senhor — interpelou Sancho —, esta que tem a seus pés é a princesa Micomicona do grande reino de Micomicão.

— Seja quem for — respondeu Dom Quixote —, farei o que me obriga a consciência e os votos que fiz ao ser ordenado cavaleiro.

E, dirigindo-se à moça, disse:

— Levante-se! Farei o que pedir.

— O que peço é que venha comigo, sem se desviar para nenhuma outra aventura, antes de vingar-me do gigante traidor que usurpou meu reino.

— Pois com a ajuda de Deus e do meu braço, muito em breve terá seu reino de volta. Agora, mãos à obra, pois na demora é que mora o perigo. Partamos!

O barbeiro fazia um esforço enorme tanto para conter o riso como para evitar que a falsa barba caísse. O padre havia barbeado Cardênio para que Dom Quixote não o reconhecesse. Quando os dois grupos se encontraram, o padre fingiu surpresa e inventou uma história para justificar a presença deles ali: explicou que tinha sido roubado por condenados do rei que haviam sido libertados das correntes por um homem de muita coragem.

Ele já sabia da aventura do cavaleiro com os condenados, porque Sancho tinha contado. A cada palavra do padre, Dom Quixote mudava de cor, sem coragem para dizer que fora ele o libertador dos criminosos. O padre, então, arrematou:

— Que Deus perdoe a quem livrou aqueles bandidos do castigo merecido!

Sancho não resistiu:

— Pois quem realizou essa façanha foi meu amo!

— Idiota! — exclamou Dom Quixote. — Não cabe a um cavaleiro andante julgar se os oprimidos estão em tal situação por própria culpa ou por serem desgraçados. Minha obrigação é ajudar, levando em consideração a pena, e não o crime.

Para acalmar o cavaleiro, Doroteia lembrou-o de sua promessa de não se deixar distrair por coisa alguma, antes de matar o gigante.

— Vou me acalmar, senhora. Ficarei quieto e pacífico até cumprir o que prometi. Mas peço que me conte mais do mal que lhe fizeram, para que possa vingá-la do modo mais completo e satisfatório.

A moça respondeu que, se não fosse aborrecido a ninguém, pediria a atenção de todos. Cardênio e o barbeiro aproximaram-se para ouvir melhor a história que ela iria inventar para convencer o cavaleiro.

— Perto do meu reino — começou ela — há uma ilha governada por um gigante vesgo. Meu pai, que era um mago, havia profetizado que, quando ele e minha mãe morressem, o gigante ia querer casar comigo. Caso eu não aceitasse, tomaria meu reino à força. Como eu jamais me casaria com um gigante vesgo, segui o que meu pai, em suas profecias, havia dito que seria minha salvação: vim para a Espanha à procura de um cavaleiro andante chamado Dom Pinote.

— Dom Quixote — corrigiu Sancho.

— Isso mesmo. Segundo a profecia, serei salva por um cavaleiro alto de corpo, magro de rosto e com um sinal escuro no ombro.

Dom Quixote quis confirmar o lugar do sinal, mas Sancho logo gritou que não precisava, pois ele já havia visto essa pinta no cavaleiro. Doroteia continuou:

— Segundo a mesma profecia, esse cavaleiro, depois de matar o gigante, casaria comigo para reinar a meu lado.

— O que acha disso, Sancho? — perguntou Dom Quixote. — Eu não disse?! Já temos um reino para governar e uma rainha com quem casar.

Sancho vibrava de contentamento, pulava de entusiasmo e fez a moça parar, para que ele lhe beijasse as mãos como prova de que a tinha por rainha e senhora. Quem não riria diante da loucura do amo e da ingenuidade do criado? Aí, veio a declaração do cavaleiro:

— Depois que eu destroçar o gigante e garantir a retomada de seu trono, minha senhora, poderá casar com quem quiser, menos comigo. Porque existe alguém a quem pertencem meus pensamentos e minha vontade.

Sancho, contrariadíssimo, levantou a voz:

— Como pode dizer que não vai casar com a princesa? Ela é mais bonita que Dulcineia. Case-se logo, ganhe esse reino ou vá para o diabo!

Dom Quixote, enraivecido, pôs-se a bater no criado com a lança e, se a moça não tivesse interferido, era capaz de tê-lo matado. Protegendo-se atrás da mula de Doroteia, Sancho continuou:

— Meu senhor, se não tiver esse reino, o que vai poder me dar? Case logo com essa princesa que nos caiu do céu e, depois, procure a senhora Dulcineia. Deve ter havido muitos reis no mundo com duas mulheres. Quanto à beleza, não digo mais nada, porque nunca vi Dulcineia.

— Como nunca a viu?! Pois se acaba de me trazer um recado dela...

— Nunca vi Dulcineia por muito tempo, para poder admirar todos os seus traços. Mas no conjunto, assim, pareceu-me muito bem.

— Por enquanto, eu o perdoo. Mas, diga, o que estava fazendo Dulcineia quando recebeu a carta? O que ela disse? Qual a expressão em seu rosto enquanto lia?

— Senhor, eu não levei a carta.

— Isso eu já sei, porque o caderno ficou comigo...

— Mas não houve problema nenhum, porque eu sabia a carta inteira de cor. Agora, já não sei mais. Depois que disse a ela o que estava escrito na carta, palavrinha por palavrinha, esqueci tudo. Mas, quando a encontrei, peneirava trigo e só o que me mandou dizer é que esperava que o senhor fosse vê-la o mais rápido possível.

Nesse instante, Sancho viu aproximar-se um homem sobre um jumento. Reconheceu Ginês de Passamonte montado no asno que lhe tinha furtado. Pôs-se a gritar:

— Ladrão, solte o meu burro, a minha vida, o meu descanso, a minha alegria! Fuja, filho da mãe, e deixe o que não é seu!

Fez um barulho tão grande que Ginês, vendo que ele não estava sozinho, largou o burro e fugiu. Sancho correu para o seu burro e abraçou-o:

— Como tem passado, meu amigo, meu companheiro?

Encheu o burrico de beijos e fez-lhe muitos carinhos, não cansando de abraçá-lo.

CAPÍTULO 22

Que trata de uma conversa e de um encontro

Pelo caminho, cavaleiro e escudeiro conversavam:

— Sancho, que acha que devo fazer agora, diante da ordem de minha senhora para que vá visitá-la? Devo obedecer ao que ela me ordena, mas, no momento, não é possível. Fiz uma promessa a esta princesa que nos acompanha e, pela lei da cavalaria, tenho que cumprir a palavra empenhada, não importa a minha vontade. O que pretendo é andar depressa, matar logo esse gigante, reconduzir a princesa ao trono e correr na direção da luz que ilumina os meus sentidos.

— Ai! — exclamou Sancho. — O senhor não está mesmo bom da cabeça. Pensa fazer tudo isso à toa, desprezando um casamento tão rico e importante como esse, que lhe daria um reino maior que Portugal e Castela juntos? Ouça e perdoe o que vou lhe dizer: case no primeiro lugar onde haja padre e não esqueça que já temos um viajando conosco. Já vivi o bastante para poder dar conselhos e tem um que vem a calhar: mais vale um pássaro na mão que dois voando.

— Sancho, se quer que me case logo para ser rei e ficar na condição de lhe dar o que prometi, é bom que saiba que posso cumprir minha promessa, sem casar com a princesa. Antes de entrar em batalha, vou impor a condição de que, ao sair vencedor, receba uma parte do reino e possa dá-la a quem quiser. E, se ganhar essa parte, diga a quem eu a daria, senão a você?

— Eu sei disso. Mas, por enquanto, não pense na senhora Dulcineia. Mate logo o gigante para acabar com esse negócio.

O barbeiro pediu para parar. Havia uma fonte por ali e queriam beber água. Junto à fonte, comeram das provisões que o padre havia trazido. Pois aconteceu de passar por eles um rapaz. Ele parou, olhou com atenção a todos que estavam perto da fonte e andou em direção a Dom Quixote.

— Ah, senhor! Não me reconhece? Olhe bem para mim e vai ver que sou aquele André que o senhor desamarrou da árvore onde estava preso e sendo surrado pelo patrão. Lembra?

O cavaleiro o reconheceu e contou entusiasmado aos companheiros como intercedera para que fosse feita justiça ao rapaz:

— Fiz com que o patrão de André o soltasse e jurasse que pagaria a ele moeda por moeda dos salários que lhe devia. Não é verdade, meu filho?

— É, é verdade — confirmou o rapaz. — Mas, depois que o senhor foi embora, o que aconteceu comigo foi muito diferente do que o patrão jurou fazer.

— Como assim?! Ele não lhe pagou?

— Não só não me pagou como voltou a me amarrar na árvore e me surrou tanto que quase morri.

— Eu não devia ter ido embora. Agora, seu patrão vai acertar contas comigo — reagiu Dom Quixote.

Levantou-se para montar em Rocinante e ir atrás do patrão de André, mas Doroteia impediu-o, lembrando-o da promessa que ele tinha feito de não se distrair com outra aventura antes que ela recuperasse o trono.

— É verdade, André precisará ter paciência. Mas eu não terei sossego enquanto ele não for pago e vingado.

— Não confio em juramentos — respondeu André. — Preciso é que me dê, se tiver aí, algo que eu possa comer.

Sancho deu-lhe um pedaço de pão e de queijo, dizendo:

— Pegue, André, que a nós todos cabe parte da sua desgraça.

— Que parte cabe a você?

— Esta parte de pão e queijo que lhe dou e que só Deus sabe se não vai me fazer falta. Os escudeiros dos cavaleiros andantes sofrem muita fome e má sorte.

André pegou o que Sancho lhe oferecia e, antes de partir, pediu a Dom Quixote:

— Pelo amor de Deus, senhor cavaleiro andante, se um dia me encontrar de novo, mesmo que estejam me matando, não me socorra, não me ajude. Deixe que eu fique com minha desgraça, que, por maior que seja, não será pior que a ajuda que vem do senhor.

O cavaleiro ficou muito zangado, quis bater nele, mas o rapaz saiu correndo dali.

CAPÍTULO 23

Que trata do que aconteceu ao grupo na pousada

No dia seguinte, o grupo chegou à pousada, para sofrimento de Sancho Pança, que, mesmo sem querer entrar, não pôde evitá-lo. Os donos da pousada, a filha e Maritornes receberam todos muito bem. Dom Quixote disse que esperava que lhe oferecessem cama melhor que da outra vez. A dona do lugar respondeu-lhe que podia dar-lhe hospedagem de príncipe, bastava que pagasse por ela. Ele afirmou que era o que pretendia e lhe deram uma cama razoável, onde se deitou logo, porque estava exausto e com muito sono.

Todos na pousada ficaram impressionados com a beleza de Doroteia, mas, durante a refeição, a conversa recaiu na estranha loucura de Dom Quixote. A dona da pousada, olhando para os lados para se certificar de que Sancho não podia escutá-la, contou o que havia acontecido da última vez em que amo e criado tinham estado ali. Estavam se divertindo com o relato, quando o padre atribuiu a loucura de Dom Quixote aos livros de cavalaria que ele havia lido. O dono da pousada ponderou:

— Não é possível que a causa seja essa. Acho que não há melhores livros no mundo que os de histórias de cavalaria. Tenho alguns que me entretêm muito, a mim e a muita gente que passa por aqui e gosta de ouvir as histórias que leio. Se eu pudesse, passaria o dia mergulhado nessas histórias.

— E para mim — disse a mulher dele — não há hora melhor no dia do que a que ele passa às voltas com essas leituras. Esquece até de brigar...

— Por Deus! — exclamou Maritornes — que eu gosto de ouvir essas histórias, quando alguém lê em voz alta! São lindas.

— Eu também gosto de escutá-las — comentou a filha do dono da pousada —, embora não entenda muita coisa. O que gosto nelas não é o mesmo que meu pai. Gosto quando narram a dor dos cavaleiros por estar distantes de suas amadas. Eu até choro...

— Tragam esses livros, que quero dar uma olhada — disse o padre.

O hospedeiro trouxe os livros e o padre começou a censurá-los:

— Esses livros estão cheios de mentiras e devaneios. Esses cavaleiros nunca existiram. É tudo ficção, é só divertimento.

— Não diga isso! — reagiu o dono da pousada. — Acha que vou acreditar que nesses livros só há disparates e mentiras, se eles têm a licença do rei?

— Eu já lhe disse — replicou o padre — que são histórias só para entretenimento. Mas fique aí com seus livros e tomara que não acabe louco como Dom Quixote.

— Isso não! Eu não sou louco para querer ser cavaleiro andante. Sei que isso é coisa de outros tempos, cavaleiros não existem mais.

Sancho entrou no exato momento em que o dono da pousada dizia isso. Ficou confuso, pensativo. Acabou decidindo que, se aquelas andanças não tivessem o fim que ele esperava, largaria o amo e voltaria para a antiga vida, junto à mulher e aos filhos.

O padre examinou mais um título e acabou admitindo que também gostaria de ler aquele livro. Todos pediram que fizesse a leitura em voz alta e ficaram ao redor dele para escutar. A leitura da novela estava quase chegando ao fim, quando ouviram o grito de alarme de Sancho Pança:

— Venham rápido, que meu amo está lutando com o gigante inimigo da princesa Micomicona e o quarto está cheio de sangue!

Os gritos vinham do quarto do cavaleiro:

— Ladrão, canalha! Eu já o apanho, vai ver!

Dando espadadas à direita e à esquerda, o cavaleiro tinha furado os odres de vinho estocados perto de onde dormia. Era o que parecia sangue a Sancho Pança. Quando o dono da pousada viu o estrago, ficou tão irritado que se jogou contra Dom Quixote. Deu-lhe tantos murros que, se Cardênio não interferisse, a história teria acabado muito mal. Mesmo assim, o cavaleiro não despertava de seu sonambulismo. O barbeiro, então, jogou-lhe uma panela de água fria. Essa, sim, deixou-o bem desperto.

— Está provado que esta casa é cheia de fantasmas!

O dono da pousada, desesperado com os danos, jurou que, desta vez, a história não se repetiria: nada de privilégios de cavaleiros e cavalarias. Os dois não sairiam da pousada antes de pagar as despesas e os prejuízos.

CAPÍTULO 24

Que trata da chegada de novos hóspedes

Da porta, o dono da pousada gritou:

— Vem aí uma bela comitiva. Se ficarem aqui, que beleza!

— Quem são? — perguntou Cardênio.

— Quatro homens com máscaras negras e uma mulher vestida de branco e com o rosto coberto. E vêm dois criados a pé.

Ao ouvir isso, Doroteia cobriu o rosto com o véu e Cardênio foi se esconder no quarto. Os viajantes entraram na pousada sem retirar as máscaras e sem falar nada. Os criados levaram os cavalos para a cavalariça, e o padre foi atrás deles para saber que gente era aquela. Um dos criados respondeu:

— Perdão, padre, mas não sei quem são. Só sei que é gente importante. Principalmente aquele que toma conta da senhora, porque só se faz o que ele manda.

— E a senhora, quem é?

— Também não sei nada dela, apenas que geme e suspira muito.

Na pousada, Doroteia aproximou-se da mulher de branco para perguntar se ela precisava de alguma coisa. Mas o homem a quem todos obedeciam interferiu:

— Senhora, não perca tempo oferecendo algo a essa mulher, nem espere que lhe responda o que não for mentira.

— Nunca menti — reagiu a moça, até então calada — e pago por isso.

Mal ouviu essas palavras, Cardênio, que estava num quarto ao lado, exclamou alto:

— Meu Deus! De quem é essa voz?

A moça ouviu a voz dele e, sobressaltada, tentou entrar no quarto de onde ela vinha, mas o cavaleiro a deteve. No confronto dos dois, o lenço que cobria o rosto da moça e a máscara do cavaleiro caíram. Doroteia reconheceu Fernando e deu um grito. Cardênio saiu do quarto e viu o rosto de Fernando e de Lucinda. Doroteia olhava para Fernando; Fernando, para Cardênio; Cardênio, para Lucinda; Lucinda, para Cardênio. Todos estavam atônitos.

Lucinda falou primeiro:

— Deus colocou-me diante de meu verdadeiro marido.

Doroteia, chorando, apelou a Fernando:

— Eu sou a lavradora que você fez sua. Você é meu marido.

Fernando olhou para ela atentamente, confuso e espantado. Soltou Lucinda e dirigiu-se a Doroteia:

— Não nego o que diz. Você venceu.

O padre, que assistira a tudo, interferiu, dizendo que, se ele admitia que Doroteia estava dizendo a verdade, tinha o dever de cumprir com a palavra dada e casar com ela. Ele concordou e abraçou Doroteia.

CAPÍTULO 25

Que trata do que aconteceu na pousada dias depois

No meio da noite, uma carruagem acompanhada de homens a cavalo chegou à pousada. A dona da pousada disse que não tinham mais nenhum palmo desocupado. Os homens insistiram, dizendo que se tratava de um juiz. A mulher disse que, nesse caso, cederia o quarto dela e do marido. O juiz desceu, trazendo pela mão uma menina linda.

Os hóspedes cumprimentaram-se mutuamente. O juiz certificou-se de que estava entre gente importante, porém a aparência e a postura de Dom Quixote deixaram-no um tanto inquieto. Jantaram todos juntos, e, quando foram dormir, Dom Quixote ofereceu-se para fazer a guarda do que ele considerava ser um castelo. Em sua ronda, ficaria atento para que não se aproximasse nenhum gigante ou malfeitor.

A pousada ficou silenciosa. Todos dormiam, menos a filha dos donos da pousada e Maritornes, a criada. Elas tinham planejado fazer uma brincadeira com Dom Quixote, que, armado e a cavalo, fazia a ronda no castelo imaginário. Por um pequeno buraco em um desvão, a moça começou a chamar o cavaleiro.

Ao ouvi-la, ele imaginou, como da outra vez, que a bela filha do dono do castelo, vencida pelo amor, chamava por ele. Respondeu:

— Lamento, bela senhora, que seu amor tenha escolhido quem não pode corresponder a ele. Mas, se precisar de mim para algo mais, basta pedir.

— Minha senhora quer apenas — disse Maritornes — segurar uma de suas belas mãos. Corre o risco de ser descoberta pelo pai só para ter esse prazer. Se o pai descobrir, vai cortá-la em picadinho.

— Então, segure, senhora, esta mão, que jamais tocou em mulher nenhuma.

Para alcançar o buraco, o Cavaleiro da Triste Figura ficou em pé sobre a sela de Rocinante. Maritornes, então, amarrou a mão de Dom Quixote com as rédeas do burro de Sancho e prendeu a outra ponta, bem apertada, no trinco da porta.

— Senhora — observou o cavaleiro —, parece que está arranhando a minha mão, e não fazendo carícias.

Mas as duas não estavam mais lá para ouvi-lo. Às gargalhadas, deixaram Dom Quixote com o braço enfiado no buraco, preso pelo pulso, equilibrando-se na ponta dos pés sobre Rocinante. Não podia se mexer, pois temia que o cavalo também se mexesse e ele perdesse a mão. Chamou por socorro, mas ninguém o ouviu. Por sorte, Rocinante não se movia. O cavaleiro acreditava que tudo aquilo era efeito de magia e esperava por um encantador mais poderoso que pudesse desencantá-lo.

Mal surgia a manhã quando quatro homens a cavalo, bem armados, bateram à porta. Sentindo-se sentinela, apesar da má posição em que estava, Dom Quixote dirigiu-se a eles com voz alta e arrogante:

— Cavaleiros, ou sejam lá quem forem, não batam à porta do castelo em hora em que todos dormem.

— Que diabo de castelo é esse?! — exclamou um deles. — Se é o dono da pousada, mande abrir a porta, que queremos alimentar os animais e ir em frente. Temos pressa.

— Acha que tenho cara de pousadeiro? — retrucou Dom Quixote.

— Não sei que cara você tem, mas sei que diz disparates, chamando pousada de castelo.

Os homens continuaram a bater tão furiosamente à porta que acabaram acordando o dono. Um dos cavalos dos homens aproximou-se de Rocinante e o cheirou. Quando o animal se virou, os pés de Dom Quixote escorregaram da sela. Ele ficou pendurado pelo braço e sentiu uma dor tamanha que temeu que seu pulso se partisse.

CAPÍTULO 26

Onde continuam os estranhos acontecimentos na pousada

Dom Quixote gritava tanto que o dono da pousada e os outros hóspedes foram ver o que estava acontecendo. Maritornes, que acabara de acordar, correu para o palheiro e, sem que ninguém a visse, desamarrou o fidalgo. Ele despencou no chão diante de todos. Sem dizer nada, retirou a corda do punho e pôs-se em pé. Depois montou em Rocinante e desafiou quem ousasse dizer que ele não tinha sido vítima de magia.

O dono da pousada foi logo explicando que não deviam levá-lo a sério, pois havia perdido o juízo. O movimento na pousada parecia que ia se acalmar, mas o demônio, que não dorme, ordenou que naquele instante chegasse à pousada o barbeiro de quem Dom Quixote havia tirado o elmo de Mambrino e Sancho, os arreios do burro. Reconhecendo Sancho, o barbeiro investiu contra ele, gritando:

— Ah, ladrão, eu o encontrei! Devolva a minha bacia e os meus arreios!

Sancho deu um murro no barbeiro e pôs-se a gritar tanto que todos vieram ver o que estava acontecendo. Orgulhoso do escudeiro, Dom Quixote mandou trazer o elmo para esclarecer a verdade. Segurando a bacia, explicou:

— Para que vejam como ele está errado, basta notar que diz ser bacia o que foi, é e sempre será o elmo de Mambrino, conquistado em boa batalha e de que tenho legítima posse. Quanto a esse assunto de arreios, não sei de outra explicação senão a de que na vida de cavalaria ocorrem muitas transformações. O que parece ser não é.

— Mas o que acham de essas duas figuras — perguntou o barbeiro que fora roubado — teimarem em dizer que isto é um elmo e não uma bacia?

O barbeiro amigo de Dom Quixote assistia a tudo e, conhecendo bem o temperamento do fidalgo, quis levar a confusão adiante, para divertimento de todos:

— Senhor barbeiro, saiba que sou seu colega de profissão e conheço muito bem os instrumentos da barbearia. Além disso, já fui soldado e sei muito bem o que é um elmo. E eu digo que essa peça não é uma bacia e, sim, um elmo, embora não seja um elmo inteiro.

— É claro que não é inteiro — confirmou Dom Quixote —, pois lhe falta a metade.

— Isso mesmo — disse o padre, que já havia entendido a intenção do barbeiro.

Todos os demais manifestaram, então, concordar com o barbeiro e o padre. O barbeiro roubado exclamou:

— Mas, meu Deus! Como é possível que tanta gente pense

que uma bacia é um elmo?! Agora só falta que digam que sela de burro é arreio de cavalo...

Quem sabia da loucura de Dom Quixote divertia-se. Quem não sabia não entendia nada. Era o caso de uns guardas que tinham acabado de entrar. Disse um deles:

— É claro que isso é uma bacia! E quem disser o contrário está bêbado.

— Mentiroso, velhaco! — vociferou Dom Quixote, querendo bater com a lança na cabeça do guarda.

Os outros guardas avançaram contra o cavaleiro. Dom Quixote, espada em punho, investiu contra eles. O padre berrava, Maritornes chorava, a dona da pousada gritava, sua filha soluçava, Doroteia estava zonza. O barbeiro esmurrava Sancho e Sancho esmurrava o barbeiro. A pousada toda era vozes, choros, medos, gritos, sustos, murros, coices, pauladas e pancadaria.

No meio da barafunda, Dom Quixote esbravejou:

— Parem todos! Guardem as armas e escutem-me, se não quiserem perder a vida.

Todos pararam.

— Este castelo está enfeitiçado, e é o feitiço que gera desavenças entre nós.

Os guardas não entenderam, mas uns começaram a falar com os outros, e os ânimos foram se acalmando. Quando parecia que tudo ia se resolver, um dos guardas lembrou que, entre os mandados de prisão que trazia, havia um contra Dom Quixote, por ter libertado condenados do rei. Agarrou o cavaleiro à força, mostrou o mandado e disse a todos:

— Leiam este mandado! Ele ordena que se prenda este salteador de estrada.

Dom Quixote indignou-se:

— É de salteador de estrada que chamam a quem liberta acorrentados, solta presos, acode a miseráveis e socorre os necessitados? Que gente infame! Quem foi o ignorante que assinou ordem de prisão contra um cavaleiro de minha grandeza?

CAPÍTULO
27

Onde se conta como Dom Quixote foi enjaulado e retornou a casa

O padre tentou convencer os guardas de que não fazia sentido prender Dom Quixote, uma vez que logo ele seria solto por ser comprovadamente louco. O guarda, com o mandado na mão, respondeu que não competia a ele julgar se Dom Quixote era louco ou não, mas, sim, cumprir a ordem de seu superior. Se o prendesse uma vez, tudo bem que outros o soltassem trezentas vezes, pois já não seria mais de sua conta. Mas tanto o padre falou, tantas loucuras do fidalgo contou, que os guardas começaram a vacilar.

— Mais louco que Dom Quixote é aquele que não percebe a doença dele — concluiu o padre.

Foi assim que conseguiu que os guardas desistissem de prender o cavaleiro. O padre fez mais: indenizou o barbeiro que perdera a bacia e exigiu dele um recibo, para encerrar o assunto de uma vez por todas. Resolvidas essas pendências, Dom Quixote achou que era hora de prosseguir viagem, para que pudessem concluir a grande aventura. Pediu à princesa que ordenasse a partida, porque o tempo corria contra eles.

Doroteia voltou a assumir porte e gestos nobres e, falando tal qual personagem de livros de cavalaria, respondeu:

— A minha vontade não é diferente da sua, senhor cavaleiro. Jamais irei contra o que recomenda tal prudência. Ordeno, pois, que partamos logo!

Dom Quixote curvou-se diante dela em cumprimento e, depois, dirigiu-se ao escudeiro:

— Sancho, prepare o burro, diga adeus ao castelo e a todos estes senhores. Vamos embora.

Sancho balançou a cabeça e retrucou:

— Antes de ir, tenho uma coisa a dizer, mas, se o senhor for ficar bravo, eu me calo e não digo o que como escudeiro e criado leal sou obrigado a dizer.

— Pode dizer o que quiser.

— Acontece que sei que esta senhora, que se diz princesa do reino de Micomicão, é tão princesa quanto a minha mãe. Se ela fosse princesa de verdade, não andaria se esfregando a toda hora e em todo canto num sujeitinho que está aqui...

O rosto de Doroteia incendiou-se, porque era verdade que ela e Fernando andavam aos beijos pelos cantos. Dom Quixote ficou fora de si com as palavras grosseiras usadas por Sancho para se referir a uma pessoa tão nobre:

— Mal-educado, vilão, indecente, ignorante, atrevido, desbocado, maledicente! Como ousa dizer isso diante de mim e dessas nobres senhoras? Retire-se! Desapareça da minha frente!

Sancho estremeceu e foi embora muito assustado. Doroteia, que já entendia o humor de Dom Quixote, tentou acalmá-lo, dizendo que era bem provável que Sancho tivesse sido vítima de uma feitiçaria, pois delas aquele castelo estava cheio. Só assim o cavaleiro perdoou Sancho. O padre foi buscar o escudeiro, que voltou muito humilde e pôs-se de joelhos para beijar a mão do amo.

— Agora está convencido, Sancho, do que tantas vezes tenho dito? Acredita agora que neste castelo ocorrem muitos encantamentos?

— Acredito, sim. Tirando aquela história da manta...

A essa altura, o padre tinha montado um plano com os outros homens para levar Dom Quixote de volta para a aldeia onde morava. Fantasiaram-se para não serem reconhecidos pelo cavaleiro e, enquanto ele dormia, amarraram bem seus pés e mãos. Quando acordou, o cavaleiro levou um grande susto. Achou que estava cercado por fantasmas que o haviam enfeitiçado de modo que não pudesse mais se mover.

Sancho, porém, percebeu quem eram aqueles vultos disfarçados. Mas resolveu não abrir a boca e ver no que tudo aquilo ia dar. Trouxeram uma jaula feita de paus e trancaram o cavaleiro dentro dela. Os homens vestidos de fantasmas a carregaram nos ombros, enquanto o barbeiro, com o rosto coberto por máscara e falseando a voz, começou a falar de modo retumbante:

— Ó Cavaleiro da Triste Figura! Não se aflija, que esta prisão é o meio pelo qual conseguirá acabar mais rápido com o gigante e atingir, pela luta, a glória. E que o nobre escudeiro não se perturbe ao ver ser levado assim a flor da cavalaria andante, aquele que dos guerreiros é o mais valente: Dom Quixote de la Mancha. Muito em breve serão cumpridas as promessas de seu amo e receberá todo o salário que merece.

Sancho continuou calado. Agora, na esperança de que, pelo menos, a história do salário fosse verdade. Apenas se inclinou e beijou a mão de Dom Quixote. A jaula foi suspensa e colocada sobre o carro de boi.

De lá, Dom Quixote disse a Sancho Pança:

— Li tantas histórias de cavalaria e, em todas elas, os cavaleiros andantes são transportados pelos ares. Nunca li nenhuma em que fossem levados sobre carros puxados por animais lentos e preguiçosos. A cavalaria e os encantamentos de hoje não são como os de antigamente. Com certeza, inventaram outras magias e outros modos de conduzir cavaleiros encantados. O que acha disso, Sancho, meu filho?

— Disso eu não sei, porque não li essas histórias. Mas o que sei é que esses aí não são fantasmas.

Como ninguém escutava o que os dois falavam, continuaram a conversar:

— Senhor, aqueles dois mascarados são o padre e o barbeiro de nossa aldeia. O senhor não está enfeitiçado nem encantado, mas enganado. E, para provar que estou certo, preciso que me responda uma coisa.

— Pergunte o que quiser. Mas não esqueça que os mágicos

tomam a forma que desejam, como eu já lhe disse.

— O que eu quero saber, mas preciso que me diga mesmo a verdade...

— Não vou mentir. Diga logo o que quer saber.

— O que quero saber é se, depois de enjaulado, o senhor teve vontade de fazer barro ou água, como se diz.

— Barro ou água? Não entendo. Fale claro, homem!

— O que quero saber é se sentiu vontade de fazer o que ninguém pode fazer em seu lugar.

— Ah, sim! Agora mesmo estou com uma vontade enorme. Se pudesse me ajudar nesse aperto, porque já não estou muito limpo...

— Essa é a prova. Se estivesse encantado, não teria uma necessidade dessa. Tampouco sentiria fome, sede, nada do que impõe a natureza.

Sancho pediu ao padre que deixasse seu senhor sair um pouco da jaula, ou aquela prisão não ia ficar nada cheirosa. O padre concordou, mas ficou atento para que o cavaleiro não se afastasse muito, quando foi se aliviar.

Continuaram a viagem, com Dom Quixote acomodado sobre uma porção de feno. Depois de seis dias de viagem, chegaram à aldeia de Dom Quixote. Era domingo, ao meio-dia, e todos estavam na praça por onde o carro passou. Correram para ver quem vinha naquele transporte e, ao reconhecerem o fidalgo, ficaram muito admirados. Um rapaz foi avisar à ama e à sobrinha de Dom Quixote que ele voltava fraco e amarelo, deitado sobre o feno, em cima de um carro de boi.

Mais uma vez, elas amaldiçoaram os livros de cavalaria. Mas receberam o fidalgo com cuidados, enquanto o padre lhes recomendava que não o deixassem escapar outra vez.

A notícia da volta do cavaleiro e do escudeiro chegou aos ouvidos da mulher de Sancho Pança. Ela foi ao encontro do marido e, logo que o avistou, perguntou se o burro estava bem.

— Está bem melhor que o dono — respondeu Sancho.

— Louvado seja Deus! Agora me diga o que ganhou como escudeiro, que roupas me trouxe e quantos sapatos dará a nossos filhos.

— Eu não trouxe nada disso, mulher, mas coisas muito mais importantes.

— Então me mostre essas coisas muito mais importantes.

— Eu lhe mostro quando chegar em casa e, por enquanto, alegre-se, pois, se continuarem essas viagens, logo serei conde ou governador de ilha.

O autor desta história chegou até aqui. Procurou os manuscritos sobre a terceira saída de Dom Quixote, mas não os encontrou. A fama do cavaleiro, no entanto, já estava registrada na memória da região da Mancha e ele encontrou uns pergaminhos quase ilegíveis, que narravam as aventuras de Dom Quixote e celebravam a beleza de Dulcineia del Toboso.

CAPÍTULO 28

As visitas que Dom Quixote recebeu

Conta Cide Hamete Benengeli, na segunda parte da história, que o padre e o barbeiro passaram quase um mês sem visitar Dom Quixote, para evitar que ele se lembrasse das aventuras passadas. Durante esse tempo, no entanto, não deixaram de recomendar à sobrinha e à criada formas de tratamento ao doente. Certo dia, elas disseram que, em alguns momentos, o fidalgo parecia estar em seu juízo perfeito. Os dois amigos, então, decidiram visitá-lo para ver se isso era verdade.

Encontraram Dom Quixote sentado na cama, vestido com roupa de dormir, tão seco e magro que mais parecia uma múmia. Começaram a conversar sobre política e Dom Quixote fez comentários muito sensatos a respeito, parecendo estar mesmo curado. O padre resolveu fazer um teste final: inventou que uma poderosa frota turca estava se aproximando das costas espanholas e temia-se um ataque. O fidalgo reagiu de imediato:

— Se Sua Majestade pedisse o meu conselho sobre o que fazer perante tal ameaça, eu lhe diria que convocasse à corte todos os cavaleiros andantes que vagam pela Espanha. Mesmo que reunisse meia dúzia, entre eles haveria um capaz de destruir todo o poderio turco. Se estivesse lá um só descendente da têmpera de Amadis de Gaula, já seria o suficiente. Deus olhará por seu povo e mandará algum. Deus me entende e mais não digo...

— Ai! — suspirou a sobrinha. — Meu tio quer voltar a ser cavaleiro andante.

— Cavaleiro andante eu vou ser até morrer — replicou Dom Quixote.

Os dois amigos despediram-se do fidalgo, e, na saída, o padre disse ao barbeiro:

— A qualquer hora ele desaparece de novo.

— Eu não tenho a menor dúvida — respondeu o outro.

Quando estavam saindo, Sancho Pança chegou. O escudeiro e Dom Quixote trancaram-se no quarto para conversar.

— Sancho, diga o que falam de nós por aí. O que pensam de mim as pessoas do povo, os fidalgos, os cavaleiros? O que dizem da minha coragem e das minhas aventuras?

— Eu só lhe respondo, senhor, com a condição de que não se enfureça comigo.

— De modo algum! Pode falar livremente e sem medo.

— Bem, o povo diz que o senhor é louco de atar e que eu não sou muito diferente. Os fidalgos dizem que o senhor não é cavaleiro coisa nenhuma. Os cavaleiros, por sua vez, dizem que o título de "dom" foi o senhor mesmo que se atribuiu sem ter direito a ele, porque não passa de um pobretão. Quanto à coragem, dizem coisas como "corajoso, mas desgraçado" ou "louco, mas engraçado", coisas assim...

— Olhe, Sancho, nenhum dos grandes e famosos homens da história foi poupado das más-línguas e da calúnia. Se é só isso o que tem para me dizer, tudo bem.

— Aí é que está. Ainda não terminei.

— Como? Há mais?

— Há, sim. Ontem, chegou o filho de Bartolomeu Carrasco, que foi estudar em Salamanca e voltou bacharel. Pois ele me disse que saiu um livro sobre suas aventuras chamado *O engenhoso fidalgo Dom Quixote de la Mancha*. Disse também que eu apareço nele com meu próprio nome e que o livro fala de Dulcineia del Toboso e de outras coisas que aconteceram com a gente. Eu me benzi! Como pode o autor saber de tudo isso?

— Com certeza, o autor dessa história deve ser algum sábio feiticeiro. Do contrário, não poderia saber...

— O filho de Carrasco disse que o autor do livro se chama Cide Hamete Berinjela.

— Isso é nome de mouro.

— Deve ser. Sempre ouvi dizer que os mouros gostam muito de berinjela.

— Não, Sancho, Cide, em árabe, quer dizer senhor. E deve ser Benengeli e não Berinjela.

— Se o senhor quiser, trago o moço aqui para explicar a história.

— Eu gostaria muito.

Sancho saiu atrás do moço que estudara em Salamanca e trouxe-o até Dom Quixote. Os três então se reuniram para conversar, como se verá a seguir.

CAPÍTULO 29

A conversa entre Dom Quixote, Sancho Pança e o bacharel Sansão Carrasco

O bacharel Sansão Carrasco tinha uns vinte e quatro anos, era baixo, tinha rosto redondo, boca grande, nariz largo e todos os sinais de um gozador, o que ele provou ser ao ajoelhar-se diante de Dom Quixote, dizendo:

— Permita que eu beije as suas mãos, senhor Dom Quixote de la Mancha, um dos mais famosos cavaleiros andantes do mundo. Bem fez Cide Hamete Benengeli ao escrever suas grandes aventuras. E melhor ainda fez aquele que mandou traduzir seus relatos do árabe para as diversas línguas, para que todos pudessem ler e se divertir com suas façanhas.

— Então é verdade que existe o relato da minha história e que foi um mouro que o compôs?

— É verdade, sim — disse Sansão —, e dele já existem mais de 12 000 livros. Acho que não há país que não tenha uma tradução dele.

— Senhor bacharel, diga-me: qual de todas as minhas façanhas é considerada a melhor?

— Quanto a isso — respondeu o bacharel —, as opiniões divergem como os gostos variam. Alguns preferem aquela dos moinhos de vento; outros, a da máquina com pilões. Há quem ache que a melhor é a história do morto que os religiosos levavam para sepultar. Mas também há quem diga que nenhuma se iguala àquela da libertação dos condenados à galé.

— E de mim — interrompeu Sancho — o que dizem?

— Que foi muito ingênuo ao acreditar que poderia ganhar uma ilha do cavaleiro aqui presente.

— É cedo ainda para tirarem essa conclusão — disse Dom Quixote. — Quanto mais velho Sancho ficar, mais experiência terá para governar uma ilha.

— Por Deus, senhor! Se eu não puder governar uma ilha com a idade que tenho, tampouco poderei governá-la com a idade de Matusalém[8].

— Tenha fé, Sancho — recomendou Dom Quixote.

E, dirigindo-se ao bacharel, disse:

— O que me preocupa, senhor Sansão, é o risco de o autor ter confundido algumas coisas e a história ter ficado confusa.

[8] Matusalém é um patriarca bíblico cuja longevidade se tornou proverbial. Teria vivido 969 anos (Gênesis 5, 27).

— O que os leitores comentam é que não se conta o que Sancho fez com as moedas de ouro que encontrou na maleta na Serra Morena.

Sancho reagiu:

— Senhor Sansão, não estou para contas nem para contos. O que quero agora é almoçar.

Disse isso e foi para casa, mas voltou mais tarde. Sansão Carrasco ainda conversava com Dom Quixote quando ele entrou e explicou o que fizera com as moedas:

— Gastei o dinheiro comigo, com minha mulher e meus filhos. Foi assim que consegui que ela aceitasse as minhas andanças com meu senhor.

— O autor fará uma continuação da história? — perguntou Dom Quixote.

— Pretende fazer, mas ainda não encontrou nenhum material para isso.

— Pois ele que fique atento — disse Sancho —, pois meu senhor e eu estamos prontos para novas aventuras.

Nesse momento, ouviram Rocinante relinchar e consideraram isso um presságio. Ficou combinado que partiriam dali a oito dias. O fidalgo recomendou ao bacharel que não comentasse nada a respeito com ninguém. Carrasco prometeu não contar nada, e Sancho foi cuidar dos preparativos para a viagem.

Chegou em casa vibrando de alegria e a mulher quis saber o motivo.

— Vou partir com meu patrão outra vez. Posso encontrar mais moedas de ouro e posso ganhar uma ilha para ser governador. Dobre a ração do burro e cuide de seus arreios.

— Ouça, Sancho, se virar governador, não vá se esquecer de mim nem dos meninos! Sanchinho está com 15 anos, e já está na hora de ir para a escola. Maria Sancha tem tanta vontade de ter marido quanto você de ser governador.

— Se eu for governador, minha filha vai se casar com alguém muito importante.

— Não, Sancho. Ela que case com alguém como ela, com algum moço daqui da aldeia, para que não venha a sofrer, sendo desprezada pelo que é.

— E por que não casá-la com um conde? Quando eu tiver poder, será respeitada. Minha filha será condessa.

— Faça, então, como quiser — resignou-se a mulher, que se pôs a chorar.

Sancho procurou consolá-la e, depois, saiu para informar Dom Quixote dos preparativos.

CAPÍTULO 30

O que Dom Quixote conversou com a sobrinha e a criada e também com o escudeiro

Enquanto Sancho Pança conversava com a mulher, Dom Quixote, por sua vez, discutia com a sobrinha e a criada. Essa o interpelou:

— Ouça o que digo: se não ficar quieto em casa, em vez de andar como alma penada pelo mundo, nessas tais aventuras que eu chamo mesmo é de desgraças, eu vou me queixar a Deus e ao rei.

— O que Deus vai lhe responder, eu não sei — respondeu Dom Quixote. — Mas se eu fosse rei, não lhe daria ouvidos.

Ela continuou:

— Mas, diga, senhor: na corte de Sua Majestade não há cavaleiros?

— Há muitos — respondeu Dom Quixote.

— E por que o senhor não vai servir ao rei na corte?

— Escute, amiga: nem todos os cavaleiros podem ser cortesãos, assim como nem todos os cortesãos podem ser cavaleiros andantes. Os cortesãos passeiam pelo mundo inteiro ao olhar um mapa. Não passam fome nem frio. Enquanto nós, cavaleiros andantes, enfrentamos qualquer inimigo e todas as inclemências do tempo, de noite ou de dia, a pé ou a cavalo, alimentados ou famintos, medindo a terra toda com os nossos pés.

— Ai, meu tio! — interferiu a sobrinha. — Lembre-se de que o que se diz dos cavaleiros andantes são histórias, ficções.

— Juro que, não fosse você minha sobrinha, eu lhe daria um castigo tremendo por dizer tamanha blasfêmia!

— Mas como o senhor pode acreditar que é valente, sendo velho? Que tem força, estando doente? Que endireita tortos, se está curvado pela idade? Além de tudo isso, como acredita que é cavaleiro, sendo pobre?

— Tem muita razão em tudo o que disse, sobrinha. E eu poderia falar muito sobre linhagem, mas só o que vou dizer é que ao cavaleiro pobre não há outro caminho que não seja o da virtude. Que ele seja amável, comedido, prestativo, caridoso e jamais arrogante. Também não se pode esquecer que nasci sob a influência do planeta Marte, o que me obriga a seguir pelo caminho que trilho.

Nesse momento, bateram à porta. Era o escudeiro. As mulheres afastaram-se, porque tinham raiva dele. Dom Quixote e o escudeiro foram conversar no quarto. A criada não teve dúvida do que eles tratavam a portas fechadas e, angustiada, foi procurar o bacharel Sansão Carrasco:

— Senhor, meu amo vai sair novamente em busca de aventuras. Da primeira vez, voltou atravessado num burro, quebrado pelas pauladas que levou. Da segunda, voltou enjaulado, acreditando que foi parar lá por efeito de magia. Chegou aqui tão acabado que nem a mãe dele o reconheceria.

— Não se aflija — respondeu o bacharel. — Vá tranquila

para casa e deixe que eu cuide disso.

O bacharel foi direto procurar o padre, para combinar com ele o que adiante será contado. Enquanto isso, fechados no quarto, cavaleiro e escudeiro conversavam:

— Senhor, minha mulher já está comportada com a minha terceira partida com o senhor.

— Deve ser conformada, e não comportada — corrigiu Dom Quixote.

— Já lhe pedi, por favor, que não me corrija, quando entende o que quero dizer. Se não entender, basta que diga "Sancho, que diabo, não o entendo!".

— Está certo, mas o que sua mulher disse?

— Ela disse que era para eu pôr os pingos nos is com o senhor, para que fique tudo preto no branco, porque mais vale um "toma" que dois "darei". E eu lhe digo que conselho de mulher é pouco, mas quem não segue é louco.

— É verdade — disse Dom Quixote —, mas ainda não sei o que quer dizer.

— Quero que me fixe um salário a ser pago todo mês enquanto eu lhe servir. Ou seja, quero saber quanto ganharei, seja muito, seja pouco.

— Olhe, Sancho, eu fixaria o seu salário se, em alguma história que li, tivesse encontrado algum cavaleiro que pagasse salário a escudeiro. O que sei é que, quando tinham boa sorte e conquistavam algo, davam um prêmio ao escudeiro. Portanto, volte para casa e explique isso a sua mulher. Se aceitarem meus termos, muito bem. Se não, nossa amizade será a mesma. Se não quiser vir comigo, escudeiro não há de me faltar.

Ao ouvir isso, Sancho ficou arrasado. Nunca havia pensado que seu senhor pudesse partir sem ele. Estava pensativo, cabisbaixo, quando entrou o bacharel. Sansão, muito astuto, abraçou Dom Quixote, louvando-o:

— Ó flor da cavalaria andante! Ó luz resplandecente das armas! Ó honra da nação espanhola!

E, enfileirando expressões pomposas como essas, ofereceu os seus serviços como escudeiro. Dom Quixote voltou-se para Sancho:

— Não lhe disse que não me faltaria escudeiro? O bacharel, porém, deve voltar a Salamanca e eu devo procurar outro escudeiro, já que você não quer mais partir comigo.

— Eu quero, sim — disse Sancho, com os olhos cheios de lágrimas. — Se comecei a falar de salário e de contas de tanto mais tanto, foi por causa da minha mulher. Eu não sou ingrato e de novo me ofereço para servir-lhe fielmente, tão bem ou melhor do que qualquer escudeiro que já serviu a um cavaleiro andante.

Carrasco pareceu satisfeito. A sobrinha e a criada rogaram-lhe mil pragas. Não sabiam que ele estava seguindo um plano combinado com o padre e o barbeiro. Três dias depois, Dom Quixote e Sancho voltaram à estrada. O cavaleiro ia montado em Rocinante e Sancho, no burro. Levavam algum dinheiro e as sacolas bem abastecidas.

CAPÍTULO 31

Onde se conta o que ocorreu a caminho de El Toboso

Dom Quixote disse a Sancho que, antes de meter-se em qualquer aventura, queria ir a El Toboso para ser abençoado por Dulcineia. O escudeiro respondeu:

— Acho difícil que consiga falar com ela e receber a sua bênção. A menos que seja por cima das cercas do curral, lugar onde a encontrei quando fui entregar a carta com a notícia das loucuras que o senhor andava fazendo na Serra Morena.

— Cercas de curral ao redor de tamanha formosura?! — exclamou Dom Quixote. — Deviam ser galerias, átrios, corredores de um riquíssimo palácio.

— A mim pareceu curral.

— Seja como for, Sancho. Contanto que eu a veja, por cerca, grade ou janela, a luz de sua beleza vai iluminar meu entendimento e fortalecer meu coração.

Ao anoitecer do dia seguinte, avistaram a aldeia de El Toboso. A visão alegrou o espírito de Dom Quixote e entristeceu o de Sancho, que não tinha a menor ideia de onde ficava a casa de Dulcineia, pois nunca a tinha visto na vida. Assim, os dois ficaram ansiosos: um, por vê-la; o outro, por nunca tê-la visto. El Toboso estava em completo silêncio quando chegaram. Todos dormiam. Mesmo assim, disse o cavaleiro:

— Sancho, vamos logo para o palácio de Dulcineia. Talvez esteja acordada.

— Mas, a que palácio iremos, meu senhor, se eu a vi numa casinha? E, a essa hora, como pode pensar em bater na porta de uma senhora honrada?

— Primeiro, vamos descobrir onde ela mora — insistiu o cavaleiro — e, depois, direi o que devemos fazer. Olhe, Sancho, aquela construção grande, ali adiante, deve ser o palácio de Dulcineia...

Dom Quixote tomou a dianteira, andou uns duzentos passos e viu uma grande torre. O prédio não era um palácio, mas a principal igreja de El Toboso.

— A casa dela deve estar num beco sem saída — disse Sancho.

— Maldito idiota! — exclamou Dom Quixote. — Onde já se viu um palácio num beco sem saída?

— Senhor, cada terra com seu uso. Talvez, em El Toboso, os palácios fiquem em ruelas. Mas, como quer que eu encontre a casa dela, se a vi apenas uma vez? É melhor que o senhor a procure, pois já deve tê-la visto mais de mil vezes.

— Eu já não lhe disse que estou apaixonado de ouvido e não de vista?

— Bom, se o senhor mal a viu, eu, pior ainda. Porque

também foi de ouvido que recebi a resposta dela que levei ao senhor. Posso reconhecer a senhora Dulcineia tanto quanto posso esmurrar o céu.

— Sancho, Sancho! Brincadeira tem hora...

E foram discutindo assim estrada afora até passarem por um lavrador. Dom Quixote perguntou-lhe se sabia onde ficava o palácio da princesa Dulcineia. Ele respondeu que não sabia, pois estava há pouco tempo no lugar, mas que nunca tinha visto ali mulher nenhuma que parecesse ser princesa. Sugeriu que perguntassem ao padre e ao sacristão, pois esses tinham a lista de todos os moradores de El Toboso.

Percebendo que logo ia amanhecer, Sancho aconselhou o patrão a procurar um lugar, fora da aldeia, onde pudesse esperar que ele, com calma, procurasse Dulcineia. Argumentou que não ficaria bem para um grande cavaleiro ficar vagando pelas ruas. Dom Quixote gostou do conselho e foi aguardar em um bosque perto de El Toboso. O escudeiro voltou, então, à aldeia para cumprir o combinado. Tão logo se afastou do amo, desmontou, sentou-se embaixo de uma árvore e pôs-se a falar consigo mesmo:

— E agora, Sancho, o que você vai fazer? Onde pensa encontrar essa bela princesa? Onde vai procurar? Com mil diabos! É melhor eu ter calma, que para tudo existe remédio, menos para a morte. Eu sei que meu amo é louco de atar, e eu não sou menos louco que ele, porque o acompanho para baixo e para cima. É como se diz: "Dize-me com quem andas que te direi quem és". Ora, sendo ele louco, pensa que uma coisa é outra, acha que pau é pedra e que preto é branco. Não há de ser difícil convencê-lo de que uma lavradora qualquer seja Dulcineia. Ou talvez acredite que um feiticeiro malvado transformou sua amada em camponesa, só para lhe fazer mal.

Ao pensar assim, Sancho acalmou-se. Ficou parado, deixando as horas passarem, para que seu amo acreditasse que ele tinha gasto muito tempo à procura de Dulcineia. Quando ia montar no burro, avistou, vindas de El Toboso, três lavradoras. Correu até Dom Quixote para avisá-lo de que Dulcineia estava vindo.

— Então, vamos logo, Sancho, meu filho! — disse, ansioso, o cavaleiro.

Quando Dom Quixote olhou o caminho de El Toboso, só viu as três lavradoras montadas sobre burricos.

— Só vejo três lavradoras, Sancho.

— Como assim, meu senhor? Deus nos livre! O que está havendo? Não vê a sua amada?

— É como eu lhe digo, Sancho. Só vejo três camponesas sobre os burros.

— Cale-se, senhor! Não diga isso. Abra bem os olhos e venha reverenciar a senhora de seus pensamentos, que ela já se aproxima.

Sancho foi na frente e ajoelhou-se diante de uma das camponesas:

— Rainha, princesa e duquesa da formosura, eis um cavaleiro que mais parece uma estátua de mármore, tão perturbado está por vê-la. É Dom Quixote de la Mancha, também conhecido como Cavaleiro da Triste Figura. E eu sou Sancho Pança, seu escudeiro.

Dom Quixote pôs-se de joelhos, ao lado de Sancho. Perturbado, olhava com olhos muito arregalados aquela a quem seu escudeiro chamava de rainha e senhora. Não conseguia falar. O que ele via era uma camponesa de rosto nada bonito. As três camponesas tampouco entendiam o que estava acontecendo. De repente aquela diante da qual os dois tinham se ajoelhado esbravejou:

— Mas que diabo! Saiam da minha frente que tenho pressa!

Sancho então falou:

— Ó princesa e senhora universal del Toboso! Como não se enternece ao ver ajoelhado a seus pés o maior dos cavaleiros andantes?

Ouvindo isso, outra exclamou:

— Mas olhem como esses senhores vêm aqui para zombar das moças do campo! É melhor seguirem o seu caminho e deixarem a gente em paz.

— Levante, Sancho — disse Dom Quixote —, pois a sorte ainda não se fartou de meus males e impede qualquer caminho por onde possa vir uma alegria. O feiticeiro persegue-me e, agora, pôs nuvens de catarata sobre meus olhos. O rosto de minha senhora, que é de beleza sem igual, ele transformou na cara de uma lavradora pobre. Deve ter transformado meu rosto também, para torná-lo detestável a seus olhos, Dulcineia. No entanto, procure ver a humildade com que minha alma a adora.

— Olhem o meu vovô! — debochou a camponesa. — Afastem-se de uma vez!

Sancho afastou-se, contente com o êxito de sua artimanha. Dom Quixote estava impressionado com o ódio que magos e feiticeiros tinham dele.

— Imagine, Sancho, que, além de eu não conseguir ver a beleza ímpar de minha amada, tampouco pude sentir o doce perfume dela. Em vez disso, senti um bafo de alho...

Sancho controlou-se para não explodir numa gargalhada.

— Ora, quando vi esse carro, pensei que iria viver alguma aventura perigosa. Vão com Deus e sucesso! Desde jovem gosto muito de teatro.

A conversa desenrolava-se assim, quando um bufão, com seu traje cheio de guizos, segurando um pedaço de pau com bexigas na ponta, chegou bem perto de Dom Quixote. Começou a esgrimir o pedaço de pau, a dar saltos e a chocalhar os guizos. Rocinante assustou-se, corcoveou e saiu em disparada. Sancho percebeu o risco de que seu amo caísse. Desmontou e foi correndo ajudá-lo. Quando se aproximou, Dom Quixote já estava no chão. O bufão, então, montou no burro do escudeiro e saiu campo afora.

— Senhor, o diabo levou meu burro.

— Que diabo? — perguntou Dom Quixote.

— O do pau com as bexigas.

— Eu vou recuperá-lo, nem que tenha que jogar esse ladrão no fundo dos infernos.

Mas era apenas uma palhaçada do bufão. Logo ele soltou o burro, que voltou para seu dono. Mesmo assim, Dom Quixote quis castigá-lo.

— Esqueça isso — disse Sancho. — Atores são gente muito protegida. Todos os estimam e ajudam, porque trazem alegria e diversão.

— Mesmo assim — disse o cavaleiro —, não vou permitir que isso fique sem punição.

Correu atrás do carro, que prosseguia a viagem, e bradou:

— Parem agora! Eu vou lhes mostrar como se trata animal que serve de montaria a escudeiro de cavaleiro andante.

Dom Quixote gritava tanto que o pessoal do carro ouviu, compreendeu a intenção dele, e, num instante, saltaram do carro a Morte, o Imperador, o Diabo, o Anjo, a Rainha e o Cupido. Armaram-se com pedras e formaram fileira. Sancho apelou:

— Senhor, é completa loucura um homem só investir contra um exército formado pela Morte, pelo Imperador e por todas essas figuras. Além disso, nenhum deles é cavaleiro. Não estão à sua altura.

— Esse argumento eu aceito. Não posso erguer a espada contra quem não foi armado cavaleiro. A vingança cabe a você, Sancho, se quiser.

— Não, senhor, eu não quero. Vingar-se não é coisa de bom cristão.

— Bom, se essa é sua vontade, deixemos essa gente ir embora e vamos buscar aventura mais qualificada.

E foi assim que a aventura com o carro da Morte teve um final feliz, graças ao prudente conselho de Sancho a seu amo, que se envolveu, no dia seguinte, em outra aventura.

CAPÍTULO 33

A aventura com o bravo Cavaleiro do Bosque

No dia seguinte, Dom Quixote e o escudeiro pararam, para descansar e comer, sob as frondosas árvores de um bosque. Conversaram um pouco:

— Sancho, se não tivesse me impedido de atacar o carro da Morte, você teria agora, como parte dos despojos, a coroa de ouro do Imperador e as asas do Cupido.

— As coroas dos imperadores de teatro nunca são de ouro, mas de lata.

— É verdade. Por isso acho que não há nada que nos represente melhor do que o teatro. Já assistiu a uma peça, Sancho? Nela, um é o rei; outro é o papa. Outros podem ser o cavaleiro, o soldado, o valentão, o apaixonado. Mas, quando a peça acaba e retiram as fantasias, todos são iguais: simples atores. Na vida também é assim. Uns são imperadores, outros não têm nada, mas, quando a morte chega, sem nossos trajes, na sepultura, somos todos iguais.

— É uma boa comparação — disse Sancho —, mas eu já a conhecia. É semelhante àquela do xadrez. Enquanto dura a partida, cada peça tem sua importância relativa: uma é mais, outra é menos importante. Findo o jogo, são todas misturadas e guardadas no mesmo saco.

— Sancho, a cada dia eu o vejo menos simplório.

— Bem, alguma coisa eu tenho que aprender com o senhor. Mesmo as terras estéreis, quando adubadas e cultivadas, dão bons frutos.

Conversaram um pouco mais e Sancho adormeceu. Dom Quixote cochilou, mas foi despertado por um ruído. Dois homens apeavam dos cavalos e podia-se ouvir o rangido de uma armadura. Foi despertar Sancho, cochichando no ouvido dele:

— Sancho, temos aventura! Deitou-se ali um cavaleiro andante. Está afinando a viola, vai cantar.

— Deve ser um cavaleiro apaixonado.

— Se não fosse apaixonado, não seria cavaleiro andante. Escute o que ele está dizendo.

Com voz sofrida, o cavaleiro dizia:

— Ó Cassildeia de Vandalia, por que me fazes sofrer tanto por amor? Não bastou fazer com que cavaleiros de Navarra, Castela, Andaluzia e, finalmente, todos os cavaleiros da Mancha reconhecessem não haver no mundo mulher mais bela que a minha Cassildeia?

— Isso não! — reagiu Dom Quixote. — Eu sou da Mancha e nunca disse tal coisa. Ele está delirando. Vamos escutar.

Mas o cavaleiro ouviu a voz de Dom Quixote e perguntou:

— Quem está aí? É gente alegre ou gente triste?

— Triste — respondeu Dom Quixote.

— Então, venha para cá, que seremos dois.

Dom Quixote se aproximou e o outro lhe disse que, mesmo no escuro, conseguia reconhecer um companheiro de armas. Depois, perguntou ao cavaleiro se ele estava apaixonado e também sofria o desprezo de sua dama.

— Estou apaixonado, infelizmente, mas nunca fui desprezado por minha dama.

— Não, meu amo nunca sofreu por desprezo — comentou Sancho —, porque minha senhora é mansa como ovelha nova e suave feito manteiga.

— Este é seu escudeiro? — perguntou o Cavaleiro do Bosque.

— Sim, é — confirmou Dom Quixote.

— Nunca vi escudeiro atrever-se a falar enquanto seu senhor fala. O meu nunca abriu a boca na minha presença.

— Pois eu falo — disse Sancho. — E é bom ficarmos por aqui, porque...

O escudeiro do Cavaleiro do Bosque puxou Sancho pelo braço.

— Vamos aonde possamos falar escudeiramente, enquanto nossos senhores falam cavaleiramente.

Os escudeiros foram falar de sua vida e os cavaleiros, de seus amores.

— Como é dura essa vida de escudeiro que levamos! De fato, comemos o pão com o suor de nosso rosto.

— E com o gelo de nosso corpo — acrescentou Sancho —, porque passamos muito frio e também muita fome. Às vezes, passam-se dois dias sem que se engula nada além do vento que sopra em nossa direção.

— E tudo isso pela esperança de um prêmio, como o governo de uma ilha ou um condado.

— Meu patrão prometeu-me o mesmo — admirou-se Sancho.

Falaram de seus cavaleiros e de suas famílias, beberam vinho e adormeceram. Os cavaleiros continuaram conversando sobre muitas coisas, e, a certa altura, o Cavaleiro do Bosque disse a Dom Quixote:

— Senhor, quis o destino e a minha escolha que eu me apaixonasse pela incomparável Cassildeia de Vandalia. Foi ela que me ordenou percorrer a Espanha toda, para fazer com que cada cavaleiro andante declarasse ser ela a mulher mais bela do mundo. Já venci muitos cavaleiros que tiveram a audácia de não concordar comigo. Mas meu maior orgulho é ter vencido o famoso cavaleiro Dom Quixote de la Mancha, forçando-o a confessar que Cassildeia é mais bela que Dulcineia. Só essa vitória já fez de mim o vencedor de todos os cavaleiros da Espanha, pois Dom Quixote derrotou todos eles. Assim, a glória, a honra e a fama do chamado Cavaleiro da Triste Figura são minhas agora.

Dom Quixote ficou pasmo com o que ouvia, mas conteve-se:

— Que tenha vencido os demais cavaleiros da Espanha ou do mundo, eu não discuto. Mas que diga ter vencido Dom Quixote eu não aceito. Talvez tenha sido alguém parecido...

— Como não?! Lutei contra ele e o venci! É um homem alto, magro, espichado, grisalho, com nariz curvo e bigode caído. É conhecido como Cavaleiro da Triste Figura. Seu escudeiro é Sancho Pança e seu cavalo, Rocinante. Sua paixão é Dulcineia del Toboso. Se tudo isso que eu disse não o convence, aqui está minha espada para impor a verdade.

— Calma, cavaleiro! Dom Quixote é meu melhor amigo e a descrição que fez dele é exata. Mas, como muitos feiticeiros o invejam, é possível que tenham transformado alguém na imagem dele, só para que se diga que ele foi derrotado. E, se continuar insistindo nisso, aqui está o próprio Dom Quixote para confirmar a verdade com suas armas.

Ao dizer isso, ergueu-se e empunhou a espada, mas o Cavaleiro do Bosque replicou:

— Cavaleiros não lutam no escuro como se fossem bandidos. Vamos esperar a luz do dia. E que o vencido faça tudo o que o vencedor quiser, contanto que seja decente o que lhe for ordenado.

Dom Quixote concordou e ambos foram buscar seus escudeiros, que roncavam em sono profundo, para que fizessem os preparativos para a mais dura e sangrenta batalha já havida. Quando o sol raiou, Sancho ficou espantado com o tamanho do nariz do escudeiro do Cavaleiro do Bosque. Dom Quixote, por sua vez, olhou seu contendor e notou que era baixo e vestia um traje coberto por muitos espelhos em formato de lua. Observou o escudeiro dele e achou-o tão feio que mais parecia um monstro. Assustado com tudo isso, Sancho pediu a seu senhor que o ajudasse a subir em uma árvore para que pudesse ver a luta do alto e sem perigo.

O Cavaleiro do Bosque já havia se distanciado para preparar o ataque, mas, vendo o adversário às voltas com o escudeiro, freou o cavalo. Nesse momento, Dom Quixote, pensando que o inimigo já corria para atacá-lo, cravou esporas de tal modo no magérrimo Rocinante que o animal correu, com fúria nunca demonstrada antes, na direção do outro contendor. Cavalo e cavaleiro bateram no rival com tanta força que ele caiu estirado, sem mover pé ou mão, como se estivesse morto.

Sancho desceu da árvore, Dom Quixote, do cavalo, e correram os dois para ver o cavaleiro caído. Para que respirasse melhor, se ainda fosse o caso, retiraram-lhe o elmo e... quem não se espantaria com isso? O rosto que viram era do bacharel Sansão Carrasco.

— Sancho, veja a que ponto chegam os feiticeiros com suas magias! — exclamou Dom Quixote.

Sancho pediu a Dom Quixote que enfiasse logo a espada no contendor derrubado. Ouviram, então, o grito do escudeiro do Cavaleiro do Bosque, suplicando que não o fizesse porque, de fato, aquele era o bacharel Carrasco. Chegou correndo, sem o falso narigão, que tinha caído, e Sancho reconheceu nele seu vizinho, Tomé Cecial. Quando o cavaleiro caído voltou a si,

— Se for queijo, meu senhor, então me dê. Mas, não, não me dê! Melhor que o diabo o coma, porque só pode ter sido ele que o colocou aí. Como se eu fosse capaz de sujar o meu amo... Acho que os feiticeiros perseguem a mim também e por isso puseram aí dentro essa meleca. Querem transformar a sua calma em raiva e fazer com que bata em minhas costelas. Dessa vez, no entanto, não vão conseguir. Porque o senhor bem sabe que, se eu tivesse queijo, leite ou o que fosse, jogaria logo no meu estômago e não dentro do seu capacete.

— É, pode ser — respondeu Dom Quixote, empunhando a lança. — Vamos lá ver aquele carro, que estou pronto para enfrentar o próprio Satanás!

Dom Quixote parou na frente do carro de mulas e perguntou ao homem que o dirigia o que ele transportava, para onde ia e que bandeiras eram aquelas.

— Levo enjaulados dois leões bravos, presente do General de Orã para Sua Majestade. As bandeiras sinalizam que a carga pertence ao rei.

— E esses leões são grandes? — perguntou o cavaleiro.

— Os maiores que eu já vi! São macho e fêmea e estão famintos, porque ainda não lhes dei nada para comer. Saia da frente, para que eu não me atrase e possa dar comida às feras.

— Leõezinhos? — disse o cavaleiro rindo. — Eles não me assustam. Abra as jaulas, solte as feras, que vou mostrar quem é Dom Quixote de la Mancha aos feiticeiros que os enviaram ao meu caminho.

— Senhor — suplicou Sancho —, não faça isso! Eles vão nos fazer em pedaços!

Não adiantou. O cavaleiro disse ao homem que, se não abrisse as jaulas, seria atravessado por sua lança. O condutor não teve outra opção senão obedecer. Abriu as portas de par em par e foi se proteger. Sancho correu e ficou escondido.

Temendo que Rocinante se assustasse, Dom Quixote resolveu enfrentar os leões a pé. Pegou o escudo, desembainhou a espada e, com o coração valente e a mente alerta, foi em frente. O leão macho apareceu. Seu tamanho era extraordinário e sua figura, espantosa. Abriu a boca num bocejo, pôs dois palmos de língua para fora, espichou as pernas e esticou a cabeça para fora da jaula. Seu olhar era de apavorar. Depois, deu as costas e voltou a se deitar na jaula.

O cavaleiro pediu ao homem do carro que provocasse o leão com um pedaço de pau para que ele se enfurecesse. Mas o homem negou-se a fazê-lo e convenceu Dom Quixote de que isso não era necessário, porque o cavaleiro já era o vitorioso. Exagerou o que havia acontecido, exaltando a coragem de Dom Quixote, tão grande que, diante dela, até um leão se intimidava.

— O que acha disso, hein, Sancho? Contra a verdadeira valentia nem os feiticeiros podem. Eles retiram de mim a felicidade, porém a determinação e o arrojo, jamais!

Deu algum dinheiro ao homem do carro, o qual, em troca, prometeu contar a façanha que presenciara ao próprio rei, quando chegasse ao seu destino. O cavaleiro não deixou de recomendar:

— Se, por acaso, Sua Majestade perguntar o nome de quem realizou tal façanha, diga que foi o Cavaleiro dos Leões, pois, de agora em diante, vou trocar o nome de Cavaleiro da Triste Figura por esse conquistado na aventura com os leões.

CAPÍTULO
35

O casamento de Quitéria

Cavaleiro e escudeiro estavam perto de uma aldeia quando encontraram dois estudantes e dois lavradores montados em burros. Como costumava acontecer a todos que viam Dom Quixote pela primeira vez, eles ficaram admirados com a estranha figura do cavaleiro e mortos de curiosidade para saber quem ele era. Dom Quixote apresentou-se como o cavaleiro andante a quem chamavam o Cavaleiro dos Leões. Os estudantes perceberam, então, que ele era maluco, mas o trataram com respeito. Um deles disse:

— Senhor cavaleiro, se está em busca de aventura, venha conosco. Vai assistir a um dos mais ricos casamentos já celebrados na Mancha.

— É de algum príncipe? — perguntou Dom Quixote.

— Não, senhor. É de Quitéria, a bela, que vai casar com Camacho, o rico. Ambos são do mesmo nível social e têm boa linhagem, mas ela está apaixonada por Basílio e ele por ela. É amor que vem da infância. Mas Basílio não tem a riqueza de Camacho, por isso o pai de Quitéria separou os dois. Basílio é um grande atleta, notável lutador e corredor. Além disso, canta como um pássaro,

toca guitarra como ninguém e maneja a espada como poucos.

— Só por essa qualidade já mereceria casar com Quitéria — observou o cavaleiro.

— Vá dizer isso à minha mulher! — comentou Sancho. — Para ela, cada um deve casar com seu igual. Cada ovelha com sua parelha é o que ela diz.

O estudante prosseguiu narrando o sofrimento de Basílio. Era tão grande que se temia que o "sim" da noiva no altar fosse a sentença de morte do apaixonado.

— Deus dá a doença e dá o remédio — disse Sancho. — Ninguém sabe o que está para acontecer.

Quando chegaram ao local da festa, já se ouvia música de flautas e tambores. Mil lanternas pendidas do arvoredo iluminavam o local. Era véspera do casamento, mas já havia dança, alegria, contentamento. Escudeiro e cavaleiro acomodaram-se por lá mesmo e dormiram ao ar livre. Quando amanheceu, Dom Quixote acordou Sancho, que despertou animado com o cheiro de torresmo assado. Este foi pedir a um cozinheiro que lhe deixasse molhar o pão numa das tantas panelas. O cozinheiro riu dizendo que ele era muito acanhado. Deu-lhe uma caçarola com três galinhas e dois gansos.

— Leve a caçarola com tudo que aí está — disse o homem.

Sancho ficou em estado de graça e celebrou o fato de Quitéria casar com Camacho, e não com Basílio.

— Danem-se as qualidades de Basílio! — disse o glutão. — É como dizia a minha avó: "Tanto vales quanto tens e tanto tens quanto vales". Só há duas linhagens no mundo: a dos que têm e a dos que não têm.

Finalmente chegaram os noivos e pôde-se comprovar que Quitéria, de fato, era uma mulher lindíssima.

A festa já estava muito animada, quando se ouviu um homem gritar:

— Espere um pouco, gente sem consideração!

Todos se viraram. Era Basílio, trajado de negro com detalhes em escarlate, trazendo na cabeça uma coroa de folhas de cipreste[11] e nas mãos um longo bastão. Aproximou-se de Quitéria e disse:

— Você sabe muito bem, Quitéria, que não pode casar com outro enquanto eu viver. Pois eu vou remover esse obstáculo de sua vida, dando fim à minha.

Puxou uma espada, do que antes parecera ser apenas um bastão, colocou-a em pé no chão, com a ponta para cima, e jogou-se sobre ela. O sangue cobriu-lhe as costas. Os amigos

[11] O cipreste é um dos símbolos de Hades, deus dos infernos na mitologia grega, que corresponde a Plutão na mitologia latina. Isso explica a associação dessa árvore à tristeza e ao luto.

dele correram para ajudá-lo. Dom Quixote foi atrás. O jovem murmurou à noiva:

— Se casar comigo agora, o que fiz não terá sido em vão.

O padre queria que Basílio se confessasse, mas Dom Quixote argumentou que o pedido do moço era justo. Basílio logo morreria, e Quitéria, sendo viúva, poderia casar com Camacho. Ela começou a vacilar, e Camacho ficou confuso. Logo, uma porção de gente, com lágrimas e pedidos, tentou persuadir Quitéria a casar com Basílio. A moça não dizia nada. O padre apelou para que ela decidisse logo o que fazer, pois não ia demorar muito para a alma de Basílio sair pela boca. Então, ela se aproximou de Basílio, segurou a mão dele e disse que o aceitava como legítimo esposo. O padre abençoou a união dos noivos e, ao mesmo tempo, fez a oração dos mortos, desejando repouso para a alma do recém-casado. Quando o religioso concluiu o rito, Basílio, com agilidade e desenvoltura nunca vistas, arrancou a espada de seu corpo.

— Milagre! Milagre! — gritaram todos.

— Astúcia! Astúcia! — respondeu Basílio.

Tudo não passara de um artifício: ele havia enfiado a espada num canudo de sangue oculto sobre o braço. Camacho e seus amigos desembainharam as espadas. Os amigos de Basílio fizeram o mesmo. Dom Quixote, montado em Rocinante, tomou dianteira com a lança em punho e o corpo protegido pelo escudo. Gritou:

— Calma, senhores, calma e não vingança! No amor e na guerra vale qualquer estratégia para vencer o inimigo. Quitéria é de Basílio e Basílio, de Quitéria, por vontade dos céus. Camacho é rico e poderá ter quem e o que desejar. Mas Basílio só tem Quitéria, e ninguém pode tirá-la dele. O que Deus uniu o homem não vai separar. E, se alguém tentar, antes terá que passar pela ponta de minha lança!

O padre aconselhou Camacho a aceitar a situação. Se Quitéria era apaixonada por Basílio, o sentimento não ia desaparecer após casar com Camacho. Ele entendeu a situação e procurou se consolar. A festa continuou. Basílio e Quitéria partiram, acompanhados de Dom Quixote e dos amigos dos apaixonados. Sancho foi bem atrás, muito triste por ter que deixar aquela comilança.

CAPÍTULO 36

A aventura na gruta de Montesinos

Por três dias o cavaleiro e seu servo estiveram com os noivos, sendo tratados com todas as regalias. Passado esse tempo, Dom Quixote começou a procurar alguém que lhe fornecesse um mapa para que pudesse chegar à gruta de Montesinos, onde tinha muita vontade de entrar. Queria saber se eram verdade as maravilhas que tinha ouvido sobre ela. Um estudante dispôs-se a acompanhá-lo e a servir de guia. Mas o advertiu que, se estava mesmo determinado a entrar na gruta e ir em frente, precisaria de muita corda para ser amarrado, antes de mergulhar nas profundezas. Dom Quixote respondeu que, se chegasse ao abismo, claro que seria para ir até o fim.

Partiram. Dom Quixote e o estudante fizeram todo o percurso conversando sobre assuntos que entusiasmavam a ambos e aborreciam a Sancho. Quando, por fim, chegaram ao local da gruta, Sancho advertiu seu amo:

— Veja o que vai fazer, meu senhor. Não vá acabar sepultado vivo!

— Cale a boca e amarre-me — ordenou-lhe Dom Quixote.

— Uma aventura como essa, amigo Sancho, é reservada apenas a alguém como eu. Deveríamos ter trazido alguns guizos para ficarem presos em mim. Pelo barulho, dariam sinal de minha descida e, também, se estaria vivo ou não. Mas agora é tarde. Eu me entrego à proteção de Deus.

A entrada da caverna era ampla, mas estava coberta por matagal bem fechado. Começaram a cortar a vegetação e ouviram ruídos fortes e movimento abrupto de corvos e morcegos, que fugiram com tanto alvoroço a ponto de derrubar Dom Quixote no chão. Ele se levantou, foi amarrado à corda e teve início a descida. Gritava pedindo mais e mais corda, que lhe davam pouco a pouco. De repente, não ouviram mais a voz dele, e, em seguida, a corda acabou. Ficaram esperando que ele subisse, mas, como depois de meia hora ele não deu sinal, puxaram a corda.

Ela subia com muita facilidade, sem peso, e começaram a desconfiar que o cavaleiro havia ficado lá dentro. Sancho começou a chorar desesperado. Continuaram puxando e, então, sentiram peso. Um alívio. Por fim, o cavaleiro apareceu.

— Meu senhor! — exclamou Sancho com alegria. — Pensamos que havia ficado lá para semente.

Dom Quixote não falava nem abria os olhos, estava adormecido. Mas Sancho e o guia tanto o viraram e desviraram, sacudiram e balançaram, que ele acordou. Olhou para um e para o outro e disse:

— Vocês acabam de me tirar da visão mais bela e prazerosa que um homem pode ter. Agora sei que todos os prazeres dessa vida passam como sonhos e sombras.

Sancho e o estudante pediram a ele que contasse o que tinha visto lá embaixo. O cavaleiro respondeu que, antes disso, precisava comer, pois voltara com muita fome. Sentaram-se os três para comer, e, acabada a refeição, Dom Quixote começou:

— Não levantem e me ouçam com toda atenção. A uns vinte metros de profundidade da gruta, há um buraco do lado direito por onde pode passar uma carroça de mulas. Vi esse espaço quando já estava aborrecido por ter entrado em cova tão funda e escura sem nada acontecer. Entrei, então, no buraco para descansar. Gritei para que não soltassem mais corda, mas não devem ter ouvido. Da corda que continuavam soltando, fiz um rolo e sentei nele para pensar. Estava entre raciocínio e confusão, quando senti, de repente, muito sono e adormeci. Ao despertar, eu me encontrei na mais bela campina que a natureza podia criar e o homem, conceber. Parecia um sonho, mas logo comprovei que estava acordado. Avistei um palácio com muros de cristal, cujos portões se abriram e por eles passou um ancião com barba muito branca e tão comprida que passava da cintura. Veio em minha direção, abraçou-me calorosamente e disse que há muito tempo os seres encantados que lá viviam estavam à espera do valoroso cavaleiro Dom Quixote de la Mancha. Queriam que eu revelasse ao mundo o que existe no fundo da gruta de Montesinos e algo mais.

E continuou contando que o ancião era o próprio Montesinos, o qual mostrou a ele tudo o que por lá havia. Com ele tinha entrado no palácio, em um salão onde, em sepulcro de mármore, jazia o corpo de um cavaleiro enfeitiçado pelo mago Merlim[12], que de feitiçaria sabe mais que o diabo. Havia encantado também o ancião e muitos mais. Disse ter visto uma procissão de belas jovens cobertas de luto e com turbante branco. Todos, segundo Montesinos, esperavam que Dom Quixote os livrasse do encantamento.

O estudante que o guiara até lá interrompeu:

— Não sei, senhor Dom Quixote, como pôde ver tantas coisas no pouquíssimo tempo em que esteve lá embaixo.

— Quanto tempo estive lá embaixo?

— Pouco mais de uma hora — respondeu Sancho.

— Não pode ser! Porque anoiteceu e amanheceu três vezes. Passei três dias naquele lugar.

— Meu amo deve estar certo — disse Sancho. — Como lá é lugar de magia e feitiçaria, o que para nós, aqui, parece ser uma hora, lá, parecem ser três dias.

— Deve ser isso — concordou o cavaleiro.

[12] Bruxo e profeta, Merlim é personagem famoso de histórias medievais e das lendas do rei Artur. Seu poder vinha do conhecimento dos mistérios da vida e da morte, do que é humano e do que é divino.

— E comeu algo durante esse tempo? — perguntou o guia.

— Não comi nem pensei em comer. Os enfeitiçados não comem nem dormem, mesmo assim, crescem suas unhas, barbas e cabelos.

— Meu amo, me desculpe, mas, de fato, não acredito numa palavra do que conta. Não acho que esteja mentindo, mas que o senhor foi também enfeitiçado por Merlim.

— Não é isso, Sancho. Vi tudo com meus olhos. Vi até as três camponesas que encontramos em El Toboso: Dulcineia e suas companheiras.

Ao ouvir isso, Sancho quase explode de rir, porque o feitiço que teria transformado Dulcineia em lavradora era uma invenção, uma artimanha dele, para enganar o patrão.

— Santo Deus! — exclamou o escudeiro. — Será possível que existam mesmo feiticeiros e que tenham tanto poder? Porque meu amo desceu nessa gruta bonzinho da cabeça e subiu totalmente maluco!

— Você diz isso, Sancho, porque me quer bem e porque desconhece os mistérios do mundo. Com o tempo, vai acreditar no que acabei de contar.

CAPÍTULO 37

A história do teatro de marionetes

Cide Hamete Benengeli, o primeiro autor desta história, anotou na margem da página não ter certeza se o que Dom Quixote dizia ter visto e vivido na gruta de Montesinos era verdade ou invenção. Contudo, depois da aventura na gruta, o cavaleiro continuou suas andanças e, quando passou por ele um homem apressado para chegar à pousada que ficava perto dali, resolveu ir também para lá.

Chegou ao anoitecer. Sancho ficou contente ao constatar que, pela primeira vez, seu amo não tinha confundido pousada com castelo. Quando já estavam instalados, apareceu por lá um homem, com o olho esquerdo e parte do rosto cobertos, como quem oculta ferimento, que gritou:

— Hospedeiro, há pousada? Trago o macaco adivinho e meu palco de marionetes.

— É o mestre Pedro! — exclamou entusiasmado o dono da hospedaria. — Se não houvesse lugar, eu desalojaria o próprio duque de Alba para acomodá-lo. A noite vai ser divertida! Seja bem-vindo! Mas onde está o macaco?

— Está a caminho. Vim ver se havia lugar para montar

o espetáculo.

Dom Quixote perguntou quem era aquele homem e o que o macaco tinha de especial.

— Mestre Pedro é famoso por seu teatro de marionetes. E tem também um macaco com rara habilidade: quando se faz a ele uma pergunta, ele salta nos ombros do dono e diz no ouvido dele a resposta ao que se perguntou. Aí, mestre Pedro revela a todos o que ouviu do macaco. Diz coisas passadas e outras que estão por vir. Não acerta sempre, mas não erra na maior parte. Cobra duas moedas por pergunta.

Dom Quixote aproximou-se de mestre Pedro:

— Diga-me, senhor adivinho, o que vai nos acontecer?

— Senhor, o macaco não sabe o que está por vir, mas sabe o que é do passado e o que é do presente.

— Macacos me mordam — exclamou Sancho — se um dia eu pagar para que me digam o que já me aconteceu! Quem pode saber disso melhor do que eu? Mas, se ele pode saber o que acontece no presente, que dê notícias de minha mulher. O que ela está fazendo neste momento?

— Sua mulher está com boa saúde — respondeu o homem, depois que o macaco pousou em seu ombro e aproximou a cabeça de seu ouvido —, fia o linho e tem do lado uma jarra em que cabe boa porção de vinho.

— Ah, acredito! Minha mulher não é mesmo de passar mal.

— E eu desejo saber — disse Dom Quixote — se o que me aconteceu em Montesinos foi verdadeiro ou sonhado.

Mestre Pedro, sem dizer palavra, fez sinal ao macaco. O macaco subiu no ombro dele e moveu a cabeça como se lhe falasse. Mestre Pedro então respondeu:

— Diz o macaco que parte do que aconteceu na gruta é falso e parte é verdadeiro. Sabe só isso e nada mais.

— Eu não disse? — reagiu Sancho.

— Isso é o que vamos ver — replicou Dom Quixote. — É o tempo que joga luz às coisas, mesmo às que se escondem nas profundezas da terra.

Mais tarde, todos foram assistir ao teatro de marionetes. Iniciada a peça, Dom Quixote começou a fazer comentários em voz alta sobre a encenação. Dizia que não deveria ser assim, mas assado, que deveria se desenvolver de tal modo, e não de outro, e que a história toda, do jeito que estava sendo contada, estava errada. Pedro pediu ao cavaleiro que, por favor, não fizesse comentários enquanto durasse a peça. Quando os mouros começaram a perseguir os cristãos, Dom Quixote não teve dúvida: desembainhou a espada e começou a desferir golpes nas marionetes. Derrubava uma, degolava outra, decepava uma terceira e, por pouco, não acaba com mestre Pedro. O público assustou-se. O macaco fugiu. O cavaleiro só parou depois que destruiu tudo.

O dono do teatro de marionetes ficou desolado com o prejuízo. Para consolá-lo, Sancho garantiu que o cavaleiro pagaria pelos danos. Quando se acalmou, Dom Quixote percebeu o que tinha feito e pediu desculpas. Disse que acreditou ser verdade tudo que tinha visto no palquinho dos bonecos e por isso tinha atacado. Pagou o estrago. Sancho encerrou a conta na pousada e ambos voltaram para a estrada.

O que aconteceu quando encontraram uma bela caçadora

Um dia, saindo de um bosque, viram um grupo de caçadores de falcoaria[13]. Dom Quixote aproximou-se deles e viu uma bela dama ricamente vestida. Pelos trajes e pela sela que usava, percebeu que ela era senhora de todos aqueles caçadores.

[13] Antiga prática da nobreza, a falcoaria é a arte de treinar falcões e outras aves de rapina para caçar, reconhecida pela Unesco, em 2012, como Patrimônio Cultural Imaterial da Humanidade.

— Corra, Sancho, e diga àquela senhora que, se me permitir, vou beijar suas mãos e servi-la em tudo que eu puder e ela ordenar. Mas tome cuidado para não encaixar na minha mensagem os seus enfeites! Diga apenas o que eu disse.

O escudeiro apresentou a si e ao amo e deu o recado a sua maneira:

— O Cavaleiro da Triste Figura mandou dizer à Vossa Grandeza que lhe dê licença para, com seu propósito, beneplácito e consentimento, realizar o desejo que ele tem de servir vossa culminante Altanaria e Formosura.

A dama respondeu-lhe que já sabia quem era o cavaleiro, porque as aventuras dele estavam narradas em livro. Disse também que seria uma satisfação conhecê-lo pessoalmente. Enquanto Sancho corria para dar a boa notícia ao amo, a dama, que, na verdade, era uma duquesa, foi contar ao marido quem acabara de encontrar. O casal tinha lido a primeira parte das aventuras de Dom Quixote, e, quando o cavaleiro se aproximou, o próprio duque recebeu-o com um abraço e convidou-o a ficar no castelo que tinham perto dali.

O duque montou em seu belo cavalo, Dom Quixote, em Rocinante, e a duquesa ficou entre ambos. Ela ordenou que Sancho ficasse a seu lado, porque gostaria de ouvir suas observações. Sancho não se fez de rogado e enfiou-se entre os três, para grande entusiasmo dos duques, contentes por acolher no castelo essas raras figuras. Sancho começou a pensar na fartura que o aguardava, na boa mesa que iria desfrutar.

Os duques enviaram um servo à frente da comitiva, com ordens sobre a recepção a ser dada a Dom Quixote, quando entrasse no castelo. Assim, quando chegaram, os corredores estavam repletos de criados, que, em alta voz, saudaram Dom Quixote:

— Bem-vindo seja, flor e nata dos cavaleiros andantes!

E, à sua passagem, aspergiram águas perfumadas, causando grande admiração no cavaleiro. Naquele dia, pela primeira vez, ele se sentiu tratado como os cavaleiros andantes dos séculos passados, a respeito dos quais tinha lido tanto. Quem não gostou de vê-lo no castelo foi o capelão, que já havia recriminado os duques por lerem as aventuras de um louco que acreditava em magias e feitiçarias. O religioso foi interpelar Dom Quixote, dizendo coisas como:

— Volte para casa e deixe de vagar pelo mundo fazendo papel ridículo. De onde tirou que há na Espanha cavaleiros andantes, Dulcineias enfeitiçadas e todas essas estultices?

Dom Quixote precisou de força para controlar a cólera e, em respeito à batina do provocador, respondeu:

— Sou cavaleiro e cavaleiro hei de morrer. Alguns seguem o caminho da religião, eu sigo a dura vida da cavalaria andante, em que só faço o bem e nunca o mal.

O capelão virou para Sancho:

— Por acaso é esse o tal Sancho Pança a quem o amo prometeu uma ilha?

— Sou eu mesmo — respondeu o escudeiro — e mereço uma ilha tanto quanto qualquer um.

— Eu tenho uma ilha — disse o duque — que não fica muito distante daqui. Em nome do senhor Dom Quixote, eu o nomeio governador dessa ilha.

— Ajoelhe-se, Sancho — disse Dom Quixote —, e beije os pés de Sua Excelência pelo que acaba de lhe conceder.

Diante disso, o capelão retirou-se indignado, depois de dizer aos duques que não seria visto no castelo enquanto aqueles dois estivessem por ali. O duque divertiu-se com a reação do religioso.

A duquesa passou um bom tempo conversando com Sancho e ficou sabendo de tudo que tinha acontecido recentemente a ele e seu amo. Divertia-se com o que o escudeiro narrava e, principalmente, com a maneira como ele o fazia. Combinou, então, com o duque como encenariam o governo de Sancho. Depois de darem ordens aos vassalos sobre o tratamento que deveriam dar a Sancho na ilha prometida, disseram ao escudeiro que era hora de preparar-se para assumir o governo da ilha.

Sancho dobrou os joelhos humildemente:

— Lutarei para ser um bom governador, e não será pela ambição de elevar-me às alturas, mas pelo desejo que tenho de saber como se sente um governador.

— Se provar só um pouquinho dessa condição — disse-lhe o duque —, fará de tudo para governar para sempre, porque é uma delícia mandar e ser obedecido. E, quando seu amo for imperador, o que ele, sem dúvida, há de ser um dia, também fará de tudo para não deixar o poder jamais. Amanhã, partirá para sua ilha e irá vestido da maneira que convém a um governador.

— Vistam-me como quiserem, pois de qualquer forma que me vista serei sempre o mesmo Sancho Pança.

Ao saber do que estava para acontecer, Dom Quixote procurou Sancho e o levou para seus aposentos, a fim de aconselhá-lo sobre como deveria se comportar no governo da ilha.

— Primeiro, Sancho, tema a Deus, pois nisso reside a sabedoria, e, sendo sábio, não há de cometer erros. Segundo, procure saber bem quem é. Conhecer a si próprio é o conhecimento mais difícil que existe, mas, se conseguir se conhecer, não vai estourar como a rã que quis se igualar ao boi[14]. Não se envergonhe de sua origem humilde e diga você mesmo que é filho de lavradores. Se você não se envergonhar, ninguém poderá fazê-lo. Não inveje príncipes e senhores. O sangue herda-se, a virtude adquire-se, e a virtude vale o que o sangue não consegue valer. Não despreze seus parentes e seja justo com pobres e ricos. Julgue o inimigo sem ódio, para poder enxergar a verdade. Ponha a razão à frente da paixão; assim, se uma mulher bela for lhe pedir algo, pense no que é certo e desvie os olhos da formosura. Seguindo esses preceitos, terá fama eterna e grande felicidade. Tudo o que disse até aqui diz respeito à alma. Vou falar agora sobre os cuidados com o corpo.

Quem ouvisse essas palavras não pensaria que Dom Quixote era um homem muito ajuizado? Na verdade, a cabeça dele só não batia bem quando o assunto era cavalaria. Seguiu dando conselhos:

— No que diz respeito ao corpo, mantenha-se limpo e corte as unhas. Vista-se bem e mantenha o cinto apertado. Mastigue de boca fechada,

[14] *A rã e o boi* é uma fábula atribuída a Esopo, recontada por clássicos latinos como Horácio, Marcial e Fedro, da qual há muitas versões em português.

não coma alho nem cebola e não arrote. Fale devagar e pare de dizer tantos ditados.

— Ah, isso é difícil — replicou Sancho —, porque sei mais provérbios do que um livro. Mas vou tomar cuidado, porque prudência e caldo de galinha não fazem mal a ninguém e quem escuta não retruca e, se te ajudares, Deus te ajudará.

— Veja só, Sancho! Eu estou recomendando que evite ditados e você me joga uma porção deles... Continuemos. Monte a cavalo com elegância; não vá deitado para trás nem deixe o corpo frouxo. Não durma demais e deixe de ser preguiçoso. Por ora, é isso.

— Fico muito grato por me dar conselhos tão bons, senhor. Mas, e se eu esquecer? É melhor que escreva. Mesmo não sabendo ler, posso pedir a alguém que leia para mim.

— Ah, isso é ruim, Sancho! É preciso que saiba ao menos escrever o nome.

— Eu sei desenhar as letras, mas acho melhor dizer que estou com a mão machucada e mandar outro assinar por mim. Não se preocupe, vou fazer tudo direito, senhor. Prefiro ir para o céu como Sancho do que para o inferno como governador.

— Só pelo que acaba de dizer merece governar mil ilhas, Sancho. Agora, vamos almoçar que estão esperando por nós.

A partida de Sancho para a ilha

Sancho, afinal, partiu para a ilha — que, na verdade, não era ilha — montado em belo cavalo, vestido a rigor e acompanhado de muita gente. Por ordem do duque, atrás dele ia o burro coberto de ornamentos jumentais. Às vezes, Sancho virava a cabeça para olhar seu asno, cuja companhia lhe dava tanto prazer. Antes de sair, tinha pedido a bênção ao amo. Este, ao abençoá-lo, encheu os olhos de lágrimas, vendo as caretas de choro do escudeiro por deixá-lo.

Dom Quixote sentiu-se só sem a presença de Sancho. A duquesa quis mandar aos aposentos dele quatro belas donzelas para servi-lo no lugar do escudeiro. Nosso cavaleiro recusou-as, pedindo licença para ficar só. Fechou a porta e despiu-se. Ao descalçar-se, rasgou as meias. Ficou ainda mais triste diante desse sinal gritante de pobreza em meio a tanto luxo. Daria tudo por um pedaço de linha com que pudesse remendar aquele buraco. Tentou dormir, mas não conseguiu por causa do calor. Abriu a janela e ouviu vozes de moças abaixo dela. Ficou atento ao que diziam:

— Não peça que eu cante — disse Altisidora —, porque, a partir do momento em que esse forasteiro entrou no castelo, só sei chorar. E para que eu vou cantar, se ele está dormindo?

— Ouvi uma janela se abrir. Talvez ele esteja acordado.

— Tenho receio de que pense mal de mim, quando souber de meus sentimentos. Bom, aconteça o que tiver que acontecer.

Dom Quixote ficou pasmo ao ouvir uma harpa abaixo de sua janela e recordou mil cenas de livros em que um cavaleiro vivia situação semelhante. Escutou uma canção de amor e suspirou, dizendo a si mesmo:

— Todas as donzelas apaixonam-se por mim. Porém, por mais que cantem ou chorem, eu pertenço a Dulcineia del Toboso.

Enquanto isso, Sancho e seu séquito chegavam a um lugar onde viviam cerca de mil pessoas, chamado Baratária. Soaram os sinos para saudá-lo, havia alegria em toda parte, e, com pompa e circunstância, o novo governador foi levado à igreja para dar graças a Deus. Deram-lhe as chaves do lugar e o título de governador perpétuo. Foi, então, levado à cadeira de juiz e o mordomo do duque lhe disse:

— Senhor governador, é costume antigo desta ilha que aquele que tenha a posse deste domínio responda a uma pergunta que lhe for feita. Pela resposta que der, o povo saberá quem é aquele que o governa e se tem motivo para alegrar-se ou entristecer-se.

Entraram no tribunal dois homens: um camponês, trazendo um cajado na mão, e um alfaiate. Disse o alfaiate:

— Emprestei dez moedas de ouro a este homem, com a condição de que pagasse o empréstimo quando pudesse. O tempo foi passando, ele não me pagou e comecei a cobrar. Agora ele diz que nunca lhe emprestei dinheiro ou que emprestei, mas ele já me pagou. Não tenho testemunhas desse empréstimo e peço-lhe que o obrigue a fazer aqui um juramento. Se ele jurar, perante Deus e os homens, que já fez o pagamento, eu perdoo a dívida.

— Que diz disso? — perguntou Sancho ao camponês.

O camponês passou o cajado ao alfaiate demandante e afirmou:

— Senhor, confesso que ele me emprestou as moedas de ouro e juro que as devolvi, pagando como devia.

Feito o juramento, pegou de volta o cajado que tinha passado às mãos do alfaiate e, com a cabeça baixa, saiu do tribunal. Sancho, vendo isso e observando a paciência do alfaiate, pôs o dedo sobre a sobrancelha e ficou pensando. Em seguida, ergueu a cabeça e mandou chamar de volta o camponês. O homem foi trazido de novo à frente de Sancho, que lhe ordenou:

— Dê-me seu cajado.

— Com prazer — ele respondeu, entregando o cajado a Sancho.

Sancho apanhou o cajado e entregou-o ao alfaiate, dizendo:

— Vá em paz, que já está pago.

— Pago, senhor? E por acaso um cajado vale dez moedas de ouro?

— Se não valer, eu sou o maior asno do mundo. Agora é que vamos saber se tenho, ou não, cabeça para governar um reino. Quebrem esse cajado!

Feito isso, dentro dele encontraram dez moedas de ouro. A admiração foi geral e o povo achou que o governador Sancho era um novo Salomão[15]. Perguntaram a Sancho como descobrira que as moedas estavam dentro do cajado, e ele respondeu:

— O camponês passou o cajado às mãos do alfaiate enquanto prestava juramento de que devolvera as moedas que lhe tinham sido emprestadas. Mas, antes de ir embora, pediu-o de volta. Enquanto jurava, as moedas, de fato, estavam com o alfaiate. Concluí que ele tinha escondido as moedas ali.

Mal havia acabado esse julgamento, entrou no tribunal uma mulher agarrando um homem com força e gritando:

— Justiça, senhor governador, justiça! Este homem me pegou no meio do campo e aproveitou do meu corpo como quis. Eu era uma mulher pura, sempre defendi minha honra de qualquer ataque. E, agora, como fico?

[15] O rei Salomão é um personagem bíblico, famoso tanto pela sua extraordinária riqueza quanto pela sabedoria de seus julgamentos.

Sancho perguntou ao homem o que tinha a dizer diante dessa acusação.

— Senhor, eu sou um pobre pastor que conseguiu vender, esta manhã, quatro porcos. Descontadas trapaças e tributos, recebi por eles menos do que valiam. Voltava para minha aldeia quando, no caminho, encontrei essa mulher. O diabo fez com que nos deitássemos. Paguei por isso, mas ela quis receber mais e, então, me prendeu e não soltou mais até me trazer a este tribunal. Diz que foi forçada, mas eu juro que é mentira.

O governador perguntou ao homem se trazia consigo algum dinheiro. Ele respondeu que sim e Sancho ordenou-lhe que entregasse sua bolsa à mulher. Ele obedeceu à ordem, trêmulo. A mulher pegou a bolsa, rogou a Deus pela vida do senhor governador e saiu de lá correndo, com a bolsa apertada entre as mãos. Mas não antes de saber quanto dinheiro ela continha. Mal se afastou, disse Sancho ao pastor:

— Vá atrás daquela mulher, tire a bolsa dela à força e volte aqui.

Ele correu dali como um raio e voltou logo depois, lutando para segurar a mulher, que batia nele sem parar, impedindo que ele retomasse a bolsa, tamanha era a força com que ela se defendia.

— Perco a vida, mas não perco a bolsa — gritava a mulher.

— Eu me dou por vencido — desistiu o pastor. — Não tenho força para lutar com ela. Que fique com a bolsa!

O governador, então, disse:

— Dê-me a bolsa, valente e honrada mulher.

Ela obedeceu, e Sancho, imediatamente, devolveu a bolsa ao homem, repreendendo a falsa violentada:

— Se a força que demonstrou ter para defender a bolsa tivesse sido usada para proteger seu corpo, não haveria homem capaz de violentá-la. Desapareça daqui, trapaceira sem-vergonha, e se eu a encontrar de novo vai ver o castigo que terá!

Todas as demonstrações de discernimento e justiça de Sancho foram anotadas por um observador do duque, o qual, em seu castelo, esperava ansioso por notícias.

A aventura com o saco de gatos e a fome do governador

Deixamos Dom Quixote mergulhado em doces pensamentos provocados pela música de Altisidora. Pela manhã, ele calçou as botas de viagem, para cobrir o buraco na meia, e deixou o quarto. No corredor, Altisidora e uma amiga já estavam esperando por ele. Quando o cavaleiro apareceu, Altisidora fingiu desmaiar.

Ele disse à amiga da moça:

— Sei muito bem o que causa esses desmaios... Mande colocar um alaúde em meu quarto que o mal desaparece.

As moças correram para contar a história à duquesa, que teve a ideia de pregar uma peça no cavaleiro. À noite, ele encontrou o alaúde no quarto, como havia pedido. Abriu a janela, ouviu rumor de gente no jardim, afinou o instrumento e começou a cantar. A canção, de sua autoria, aconselhava as moças a buscar ocupação e trabalho para acalmar os anseios da paixão.

De repente, de cima da janela do cavaleiro, jogaram um saco de gatos com guizos amarrados na cauda. Foi uma gritaria de bichos, uma barulheira de guizos, que até os duques, inventores da brincadeira, ficaram assustados. Dom Quixote ficou pasmo quando alguns gatos entraram por sua janela, correndo e miando de um lado para outro. Parecia-lhe uma legião de diabos invadindo seus aposentos. Tentou abatê-los a golpes de espada, mas um deles atacou-o com unhas e dentes. Ele deu um grito de dor.

Altisidora foi tratar dos ferimentos dele e disse:

— Essas desventuras lhe acontecem porque tem o coração empedernido. Tomara Dulcineia continue enfeitiçada enquanto eu viver, porque eu o adoro.

Dom Quixote não respondeu. Soltou um suspiro e estendeu-se na cama.

Voltemos a Sancho.

Do tribunal, onde o governador Sancho Pança dera mostras de muita argúcia e sabedoria, ele foi levado a um suntuoso palácio, onde o aguardava uma bela mesa com abundância de frutas e pratos requintados. Sancho sentou e, ao lado dele, em pé, ficou um médico com uma varinha na mão.

Mal Sancho deu uma garfada num prato, o médico desceu a varinha. O prato foi retirado. Sancho foi provar do segundo e, de novo, a varinha desceu e um pajem fez o prato desaparecer.

— Mas o que há?! — reagiu Sancho. — Eu vou comer com os olhos?!

— Vai comer como comem os governadores desta ilha. A mim cabe zelar pela saúde de quem governa mais do que zelo pela minha. Não posso permitir que coma nada que possa lhe fazer mal. O primeiro prato estava demasiado úmido e o segundo, demasiado quente.

— Acho que aquele prato de perdizes assadas não vai me fazer nenhum mal — retrucou Sancho.

— Ah, desse não vai comer de modo nenhum. Se qualquer indigestão é grave, a de perdizes é gravíssima.

— Mas, se me tirar a comida, vai acabar com a minha vida, e não melhorá-la.

— Tem razão, senhor governador. Esqueça aqueles coelhos, aquela vitela e também o ensopado. Para conservar a boa saúde, coma aqui estas massinhas e pode servir-se de um pedacinho de marmelada.

— Saia já daqui — explodiu Sancho — ou lhe racho a cabeça com esta cadeira! Ou me deem comida ou me tirem o governo! Um cargo no qual não se pode comer não vale um vintém furado!

Nesse momento, recebeu uma carta do duque avisando que a ilha estava prestes a ser atacada e que tinha informação de que havia inimigos infiltrados no governo.

O que aconteceu a Dom Quixote com dona Rodrigues

Dom Quixote estava se recuperando do ataque dos gatos, com o rosto enfaixado e a alma tristonha, quando ouviu abrirem a porta do quarto. Pensou ser Altisidora, testando, mais uma vez, sua fidelidade a Dulcineia. Não era. O vulto que entrou pareceu-lhe um fantasma. Ele se benzeu, mas a pessoa que tinha entrado explicou-lhe que era uma velha criada da duquesa, a quem chamavam dona Rodrigues, e que ali estava para pedir-lhe um favor. Um favor do tipo que só se pede a um cavaleiro andante.

A filha dela tinha se apaixonado por um lavrador muito rico. Ele tinha abusado da moça e prometera casar com ela, mas fugira para não assumir o compromisso. A velha criada disse ao cavaleiro que sua filha era muito mais bonita que a extrovertida Altisidora e superava em formosura a própria duquesa, acrescentando:

— Bom, da duquesa é melhor eu nem falar, porque as paredes têm ouvidos...

— Mas o que tem minha duquesa, dona Rodrigues?

— Sabe aquela beleza toda e aquela elegância com que pisa e despreza o chão, com ares de quem derrama saúde por onde passa? Pois deve agradecer, primeiro, a Deus e, segundo, às duas feridas que tem nas pernas por onde, dizem os médicos, escorre em pus toda a ruindade que tem dentro dela.

— Nossa! — exclamou Dom Quixote.

Nesse instante, a porta se abriu. Dois vultos entraram, deram uma surra em dona Rodrigues e encheram o cavaleiro de beliscões. Ele nem percebeu que eram Altisidora e a própria duquesa que tinham atacado os dois.

O cavaleiro escreveu a Sancho dizendo que logo, logo deixaria aquela vida tão contrária à ordem da cavalaria e para a qual ele não havia nascido. Sancho respondeu-lhe que um médico o estava matando de fome lentamente, mas que achava que morreria antes de desgosto.

Quando Dom Quixote ficou curado dos arranhões, decidiu pedir licença aos duques para ir a Saragoça participar das disputas que faziam parte dos festejos da cidade. Quando ia abrir a boca para fazer tal pedido, entraram duas mulheres de luto. Uma delas atirou-se aos pés do cavaleiro. Era dona Rodrigues, que voltava a apelar ao cavaleiro para que não partisse antes de resolver o assunto da filha dela. Dom Quixote, então, pediu licença ao duque para desafiar e até matar o moço que abusara da moça e não cumprira a promessa de casamento.

CAPÍTULO
42

Onde se conta o fim do governo de Sancho Pança

Rapidamente se consumiu, se desfez e acabou o governo de Sancho Pança. Na sétima noite de governo, farto de pareceres e estatutos, mas não de comida e de vinho, ele se deitou e, apesar da fome, começou a adormecer. De repente, ouviu barulho de vozes, toques de sinos, alvoroço de tambores e trombetas. Assustou-se. Abriu a porta e as pessoas do corredor lhe gritaram:

— Às armas, senhor governador, às armas! Estaremos perdidos se não nos defender dos inimigos!

— Mas que sei eu de armas e defesas?! Quem entende dessas coisas é Dom Quixote.

— Ah, governador, o que é isso? Aqui estão as armas ofensivas e defensivas. Seja nosso líder, o que, de direito, lhe cabe ser.

— Então me armem — respondeu, desanimado.

Puseram-lhe dois grandes escudos, um na frente e outro atrás. Ele se sentiu encaixotado, pois não conseguia se mexer. Numa das mãos, enfiaram uma lança e foi nela que ele se apoiou.

— Como posso eu andar, se não consigo mover os joelhos? — perguntou.

— Ande, mexa-se, que os inimigos se aproximam — replicaram os subordinados.

Sancho tentou, mas caiu. Parecia uma tartaruga embaixo do casco. Alguns tropeçaram nele, outros caíram em cima, e houve quem ficasse em pé sobre seu escudo. Por fim, ouviu vozes que diziam:

— Vitória! Vitória! Senhor governador, venha desfrutar a glória e repartir os despojos tomados do inimigo pela força de seu braço.

— Levantem-me! — ordenou. — E tirem de mim esses escudos!

Foi, então, até a cavalariça, abraçou seu velho burro e beijou-lhe a testa. Com olhos cheios de lágrimas, disse:

— Venha cá, companheiro! Quando estávamos juntos, meus dias eram felizes. Depois que fui tomado pela ambição, nunca mais tive sossego.

Reuniu todos os membros de seu governo e declarou:

— Vou voltar para a minha vida antiga, para a minha liberdade. Não nasci para governar nem para defender ilhas ou cidades. Do que entendo é de arar e cavar, e não de legislar e guerrear.

No castelo dos duques, Sancho prestou-lhes contas do que tinha feito na ilha:

— Senhores, eu entrei no governo sem nada e saí dele com coisa nenhuma. Não perco nem ganho. Não pedi empréstimo nem me meti em negociatas. Esclareci dúvidas, julguei com justiça, dei sentenças, sempre morto de fome por causa daquele médico. Acabei meu governo antes que ele acabasse comigo.

Os duques o abraçaram e ordenaram que fosse alimentado imediatamente, pois dava sinal de fraqueza e abatimento.

Da descomunal e nunca vista vitória de Dom Quixote na defesa da filha de dona Rodrigues

Dom Quixote estava determinado a defender a filha de dona Rodrigues, conforme exigia sua condição de cavaleiro andante. Como o rapaz que enganara a moça havia desaparecido, os duques resolveram colocar em seu lugar um criado, de nome Tosilos, para se apresentar no duelo. No dia marcado para o embate, o duque instruiu o criado a vencer o cavaleiro sem o matar ou ferir. Para isso, ordenou que fossem tirados os ferros das lanças, de modo que a vida de ambos não fosse posta em risco.

O mestre de cerimônias foi o primeiro a entrar no campo do duelo. Entraram depois as damas, entre elas, dona Rodrigues e a filha. Foram seguidas pelos demais. Ao som de trombetas, montado num cavalo robusto, entrou Tosilos, com armadura fechada, de modo que não se via seu rosto. Na galeria estavam os duques. A condição do duelo era a seguinte: se Dom Quixote vencesse, seu adversário casaria com a filha de dona Rodrigues, mas, se fosse vencido, seu contendor ficaria livre de qualquer compromisso. Antes de iniciada a luta, Tosilos passeou pela área e, próximo de onde estavam as damas, ficou

olhando por um tempo a moça que reclamava para esposo o homem que ele fingia ser.

Dom Quixote entrou em campo e ficou aguardando o sinal para a arremetida. Soaram tambores e trombetas. Dom Quixote só pensava no duelo. Tosilos estava ocupado com outros pensamentos. Parece que, ao olhar a moça Rodrigues, percebeu que em toda a sua vida nunca tinha visto mulher tão atraente. Aquele menino com arco e flecha, que se chama Amor ou Cupido, havia perfurado o pobre servo, atravessando-lhe o coração. E pôde fazê-lo tranquilamente, porque o Amor é invisível, entra e sai por onde quer, sem que ninguém o controle.

Quando foi dado o sinal de arremetida, Dom Quixote atendeu de imediato ao som da trombeta, enquanto Tosilos parecia não ter ouvido nada. Dom Quixote correu com máxima velocidade contra o adversário. Tosilos olhava para o adversário sem se mover. Em voz alta, chamou o mestre de cerimônias e perguntou:

— Senhor, a razão deste duelo não é decidir se eu me caso ou não com aquela moça?

— O motivo é esse — foi a resposta.

— Então, não vejo por que levar adiante o combate. Eu me declaro vencido e caso logo com ela.

Dom Quixote, ao ver que o oponente não avançava, parou. O duque não entendia por que não se enfrentavam, até que o mestre de cerimônias explicou. O nobre ficou enfurecido. Tosilos parou diante de dona Rodrigues e falou alto e claro:

— Senhora, eu quero casar com sua filha, mas não quero conseguir com enfrentamento e batalha o que pretendo conquistar na paz e sem risco de morte.

Ao ouvir isso, Dom Quixote disse:

— Já que é assim, estou livre da minha promessa. Casem-se logo e que Deus os abençoe.

Quando retiraram a armadura de Tosilos, ficou descoberto e evidente seu rosto de servo. A moça Rodrigues gritou:

— Isto é um engano! Puseram Tosilos, o servo do duque, para lutar no lugar de meu verdadeiro esposo. Peço a justiça de Deus e do rei contra tanta malícia.

— Não se trata de malícia — interferiu Dom Quixote —, mas, se for esse o caso, não tem nada a ver com o duque e, sim, com os feiticeiros que me perseguem. Invejosos como são, não querem que eu desfrute a glória do triunfo em duelo. Foram eles que transformaram o rosto daquele que seria seu esposo no rosto do criado do duque. Ouça o meu conselho: case com ele. Não tenho dúvida de que é esse o homem que queria como esposo.

O duque, ouvindo isso, passou da raiva ao riso:

— São tão extraordinárias as coisas que acontecem a Dom Quixote que estou quase acreditando que meu servo não é meu servo.

A filha de dona Rodrigues encerrou a questão:

— Seja quem for esse que quer casar comigo, eu aceito. É melhor ser esposa legítima de um servo que amante enganada de um cavaleiro.

Tosilos, dona Rodrigues e a filha ficaram contentíssimos. Dom Quixote, então, pediu aos duques licença para voltar à sua vida de aventuras. Montou no Rocinante, e Sancho, no burro e caíram na estrada. Quando o cavaleiro se viu em campo aberto, sentiu que recobrava o ânimo. Disse a Sancho:

— A liberdade é um dos mais preciosos dons que um homem pode ter. Não há tesouro no mar ou na terra que a ela se compare. Pela liberdade, assim como pela honra, vale arriscar a vida. O aprisionamento, ao contrário, é o maior mal que um homem pode sofrer. Você viu bem, Sancho, o luxo e a abundância que tivemos no castelo do duque. Mas a obrigação de retribuir tantas graças e benefícios aprisiona aquele que os recebe.

— Apesar disso — acrescentou Sancho —, devemos agradecer a bolsinha com duzentas moedas de ouro que me entregou o mordomo do duque. Levo-a sobre o coração, para o que der e vier.

Onde se conta um fato extraordinário

A caminho de Saragoça, pararam em uma pousada. Na hora de jantar, o hospedeiro levou uma panela para o quarto de Dom Quixote, que se sentou confortavelmente para comer. O quarto dele era separado do seguinte por parede de madeira muito fina, de modo que o cavaleiro pôde ouvir muito bem a conversa dos outros hóspedes:

— Jerônimo, enquanto esperamos pelo jantar, vamos ler um capítulo da segunda parte de *Dom Quixote de la Mancha*.

Ao ouvir seu nome, Dom Quixote pôs-se em pé e, atento, ouviu o que o outro respondeu:

— Para que ler esses disparates? Quem leu a primeira parte não vai querer ler a segunda[16].

— É, mas não há livro tão mau que nada

[16] A obra *El ingenioso hidalgo Don Quijote de la Mancha*, de Miguel de Cervantes, é dividida em duas partes e foi publicada em mais de um volume. Houve um intervalo de dez anos entre a publicação da primeira parte (1605) e a da segunda (1615), e o dilatado tempo de publicação entre as duas partes é uma das razões, transposta para a ficção, de, a certa altura, as personagens se tornarem tão reconhecidas e festejadas. Como se pode perceber, esta adaptação apresenta os capítulos sem a divisão em partes.

tenha de bom[17]. O que me desagrada, na segunda parte, é o fato de o autor ter apresentado Dom Quixote sem paixão por Dulcineia.

Enfurecido, Dom Quixote gritou:

— Quem disse que Dom Quixote esqueceu Dulcineia terá a mim para fazê-lo ver, com a força das armas, que está longe da verdade. Nem Dulcineia pode ser esquecida nem Dom Quixote é capaz de tal esquecimento.

— Quem está falando?

— Quem poderia ser — respondeu Sancho — senão o próprio Dom Quixote?

Mal disse isso, a porta se abriu. Entraram dois homens. Um deles, abraçando Dom Quixote, disse:

— Sem dúvida, o senhor é o verdadeiro Dom Quixote, grandeza e orgulho da cavalaria andante. O autor deste livro que lhe entrego quis macular seu nome e negar suas façanhas.

Dom Quixote folheou o livro e observou:

— No pouco que li, já encontrei erros na essência da história. Diz, por exemplo, que o nome da mulher de Sancho é Maria Gutierrez, quando, de fato, ela se chama Teresa Pança. Quem erra nisso erra no resto.

[17] A mesma frase aparece na novela picaresca *Lazarilho*, de autor anônimo, publicada na Espanha em 1554, quando Cervantes tinha sete anos. Nessa obra, a sentença é atribuída a Plínio, escritor romano.

— Veja se errou também no meu nome. O que diz do escudeiro? — quis saber Sancho.

— O autor tampouco o trata como merece. Diz que é comilão e simplório.

— Que Deus o perdoe! — retrucou Sancho.

Jantaram juntos os quatro. Quando Dom Quixote contou que pretendia ir às festas de Saragoça, os homens disseram que, no tal livro, era isso mesmo que o cavaleiro fazia. Imediatamente, Dom Quixote resolveu que não iria para lá, a fim de provar quanto era falsa essa versão da história. Os homens comentaram que também havia festas em Barcelona, e o cavaleiro decidiu que era para lá que iria.

E foi assim que Dom Quixote e Sancho viram o mar pela primeira vez. A imensidão e a beleza do mar associadas à claridade do ar provocavam um súbito prazer. Desfrutavam disso, quando chegou um grupo para dar as boas-vindas ao cavaleiro:

— Bem-vindo seja a nossa cidade o espelho, o farol, a estrela e o norte de toda a cavalaria andante! O valoroso Dom Quixote, não o das histórias falsas que circulam por aí, mas o verdadeiro, tal como nos foi descrito por Cide Hamete Benengeli, o melhor dos historiadores.

Foi desse modo que o cavaleiro foi recebido em Barcelona, por onde passeou com um cartaz nas costas, onde se lia: "O verdadeiro Dom Quixote de la Mancha".

CAPÍTULO 45

Onde se conta a luta com o Cavaleiro da Branca Lua

Certa manhã, Dom Quixote foi passear pela praia, carregando todas as armas, pois jamais ficava sem elas. De repente, veio em sua direção um cavaleiro igualmente armado, em cujo escudo havia uma lua resplandecente pintada. Em alta voz, disse o homem a Dom Quixote:

— Insigne e nunca bastante louvado Dom Quixote de la Mancha, eu sou o Cavaleiro da Branca Lua, de cujas façanhas já deve ter ouvido falar. Venho experimentar a força de seu braço, para fazê-lo confessar que a minha dama é mais formosa que Dulcineia. Se eu vencer, tudo o que quero é que o senhor se recolha e volte para casa, vivendo lá em sossego e paz, sem pegar em armas durante um ano. Se a vitória for sua, serão seus o meu cavalo e as minhas armas, além da glória de vencer-me, o que engrandecerá suas façanhas.

Dom Quixote ficou pasmo diante da arrogância do Cavaleiro da Branca Lua e da razão pela qual o desafiava. Respondeu:

— Cavaleiro da Branca Lua, a respeito de quem nunca na vida ouvi falar — mas que certamente jamais pôs os olhos em Dulcineia, ou saberia que não há beleza que se compare à dela —, eu aceito o desafio. Apenas excluo das condições a que se refere à glória das suas façanhas, porque não tenho ideia de que existam tais façanhas nem tal glória. De resto, estou muito satisfeito com as minhas exatamente como são.

Quando, da cidade, avistaram os dois cavaleiros, o vice-rei foi logo avisado, mas ele ficou em dúvida se era confronto de fato ou uma peça que alguém preparara a Dom Quixote. Entregou o caso a Deus.

Os cavaleiros aprontaram-se para o combate e arremeteram um contra o outro. O cavalo de Branca Lua, que era mais forte e ligeiro, esbarrou no de Dom Quixote com tanta força que, mesmo sem uso de lança, Rocinante e o cavaleiro ficaram caídos na areia da praia. Branca Lua então apontou a lança para a viseira de Dom Quixote e disse:

— Está vencido e será morto, se não der sua palavra de que cumprirá as condições do combate.

Dom Quixote nem ergueu a viseira. Como se falasse do fundo do túmulo, com voz enfraquecida, pediu:

— Enfie a lança e tire-me a vida, cavaleiro, pois a honra já me tirou.

— Isso eu não faço — replicou Branca Lua — e saúdo a extraordinária beleza de Dulcineia del Toboso. Só o que exijo é o seu retiro em casa, por um ano, conforme combinado antes do confronto.

Todos os que estavam reunidos junto ao vice-rei para assistir à luta ouviram isso. E, como nada foi dito em detrimento a Dulcineia, cavaleiro que era, o vencido prometeu que cumpriria o combinado. O vice-rei quis saber quem era esse Cavaleiro da Branca Lua. Mandou segui-lo. E quem seria senão o bacharel Sansão Carrasco, que já havia desempenhado o papel de Cavaleiro do Bosque? Ele havia tramado tudo para ver se levava Dom Quixote de volta para casa, onde havia quem se preocupasse com ele. Quando se soube do seu propósito, houve quem dissesse:

— Ah, meu senhor! Deus o perdoe pelo que fará ao mundo ao querer devolver a razão ao louco mais interessante que existe! Não vê que a loucura de Dom Quixote só dá prazer e divertimento a todos? Se ficar curado, perderemos não só suas graças, mas também as de Sancho Pança. Aonde esses dois chegam, a tristeza sai correndo.

O bacharel voltou para a aldeia. Dom Quixote passou seis dias de cama, triste, pensativo e adoentado. Sancho tentava consolá-lo:

— Meu senhor, levante a cabeça e agradeça aos céus. Vamos voltar para casa e acabar com essas aventuras por terras desconhecidas. Se pensar bem, de nós dois, sou eu o que mais perde, embora seja o senhor o mais estragado. Deixei de ser governador e não serei conde se o senhor, deixando a cavalaria, não for rei.

— Cale-se, Sancho! Meu retiro não vai passar de um ano. Eu voltarei.

Por fim, partiram Dom Quixote e Sancho Pança. O fidalgo ia sem armas e sem armadura. Sancho o acompanhava a pé, enquanto o burro carregava as armas.

A volta à aldeia

Rodeados de meninos e acompanhados pelo padre, pelo barbeiro e pelo bacharel, Dom Quixote e Sancho Pança entraram na aldeia. À porta da casa encontraram a sobrinha e a criada. Logo depois, chegou Teresa Pança, que, ao ver o marido, disse:

— Meu marido, o seu aspecto é mais de desgovernado que de governador!

— Cale-se, mulher! Lá em casa vai ouvir maravilhas. Trago dinheiro ganho com meu esforço e sem prejuízo para ninguém.

Dom Quixote fechou-se no quarto com os amigos para contar a eles sua derrota e o compromisso que assumiu de não sair da aldeia durante um ano.

— Parece que não estou bem, me ajudem a ir para a cama — pediu o fidalgo aos amigos.

Como nada humano é eterno, mas tende sempre ao declínio, Dom Quixote não era exceção. Não tinha o privilégio de conseguir deter o curso de sua decadência. Teve febre alta e chamaram um médico. Ao tomar-lhe o pulso, o médico demonstrou preocupação. Pelo sim, pelo não, aconselhava que cuidassem da alma do fidalgo, porque o corpo corria perigo. O parecer médico era de que tristezas e dissabores tinham acabado com nosso Dom Quixote. O fidalgo ouviu tudo com tranquilidade, ao contrário da sobrinha, da criada e do escudeiro, que começaram a chorar. Dom Quixote pediu que o deixassem só, porque queria dormir. Dormiu durante seis horas. Quando despertou, disse:

— Recobrei a razão agora que estou perto de morrer. Já não sou Dom Quixote de la Mancha, mas Alonso Quijano. Chamem um confessor e, depois, um escrivão que faça meu testamento.

O padre confirmou que o fidalgo estava curado e pensava de modo claro e coerente. Tinha condições de ditar seu testamento. Quando o escrivão entrou, o fidalgo mandou registrar que o dinheiro que Sancho tinha guardado, de fato, era dele e que, se pudesse, ao escudeiro deixaria um reino, porque ele o merecia pela lealdade que sempre demonstrou. Deixou a fazenda à sobrinha e determinou que, com os rendimentos da propriedade, pagasse à criada, que, por tanto tempo, havia servido sem nada receber.

Encerrado o testamento, o fidalgo estirou-se na cama e viveu por mais três dias.

Esse foi o fim do engenhoso fidalgo da Mancha, ocorrido em lugar que Cide Hamete Benengeli preferiu não registrar.

E se assim fez é porque tinha uma intenção: permitir que todas as aldeias e lugares da Mancha disputassem entre si a honra de ter sido o berço e o túmulo desse cavaleiro. Sansão Carrasco escreveu-lhe um epitáfio:

JAZ AQUI O FIDALGO FORTE,
QUE TAIS EXTREMOS SUPEROU POR VALENTIA,
QUE DELE SE AFIRMA TER FINDADO A VIDA,
SEM JAMAIS TÊ-LO VENCIDO A MORTE.

NO R

ASTRO DO CAVALEIRO

É preciso um pouco da audácia do fidalgo da Mancha e muito encantamento pela história para escrever uma tradução e adaptação de obra tão vasta, célebre e complexa como *Dom Quixote de la Mancha*. É tamanha a riqueza simbólica da genial criação de Miguel de Cervantes que já se disse que há tantos Dom Quixotes quantos sejam os leitores. Pois se trata de um personagem desafiante, inapreensível por definições que pretendam explicar quem de fato ele é. Portanto, cada leitor tem o seu.

A observação pode ser estendida a Sancho Pança, a contraparte de nosso cavaleiro. Não há um sem o outro, o que é sabido até por quem nunca leu a obra e gosta dela de ouvido, como de ouvido era a paixão do fidalgo por Dulcineia, essa imortal figuração do amor idealizado, enfeitiçado, inalcançável.

A primeira vez que li a história do cavaleiro foi em *Dom Quixote das crianças*, de Monteiro Lobato. Bem depois, li *Dom Quixote de la Mancha* em português, numa edição com ilustrações de Gustave Doré. As imagens mentais que tenho das personagens foram influenciadas de modo decisivo por esse artista.

A leitura de uma obra com vistas a traduzi-la e adaptá-la é tão íntima, o envolvimento se faz tão intenso, que a lembrança da primeira leitura parece ter sido de outro livro. Uma adaptação requer certas escolhas e certos critérios, para que a versão do texto-fonte, mesmo sendo mera aproximação, não extirpe da narrativa o que nela é essencial para o desenvolvimento da trama, bem como o perfil das personagens e alguns traços de estilo do autor.

Dom Quixote de la Mancha entrelaça várias histórias de personagens que o protagonista encontra pelo caminho. À história do cavaleiro e do escudeiro intercala-se uma porção de outras. Para apresentar versão em um só volume, é preciso suprimir algumas delas. Portanto, a primeira questão para quem adapta é escolher quais histórias serão mantidas e quais não.

Algumas são tão célebres que, se não fossem narradas, o texto nem seria reconhecido como tradução e adaptação da obra-prima de Cervantes. O episódio da luta do cavaleiro contra os moinhos de vento é emblemático. Não ocorreria a ninguém suprimi-lo. O mesmo acontece com a aventura do elmo de Mambrino, tantas são as representações em imagem de Dom Quixote com a bacia do barbeiro na cabeça.

Já a aventura na gruta de Montesinos é relato que tem instigado leitores e estudiosos muito atentos ao universo da obra pelo que o distingue dos demais. Além de ser uma história baseada no maravilhoso, provoca o leitor com dúvidas que não serão esclarecidas. Será que Dom Quixote de fato acredita no que contou ter visto nas profundezas da terra?

Outro episódio foi escolhido também pela singularidade, mas por razão diferente: os capítulos 9 e 10 contam história que Dom Quixote ouviu de pastores com os quais esteve acampado. A personagem Marcela difere de todas as outras personagens femininas da obra, sempre às voltas com amores e casamentos. Não necessariamente nessa ordem. Marcela, ao contrário, é independente e tem voz e pensamentos muito próprios. Criada no início do século XVII — o primeiro volume da obra data de 1605 —, comporta-se e fala como uma mulher contemporânea. Surpreende.

Todos os episódios, porém, foram escolhidos em função do que, na minha opinião, mais importa na obra, causa de sua vitalidade e permanência ao longo de séculos: a composição dos dois personagens, tão distintos quanto complementares entre si, e a relação de trocas afetivas e conceituais que entre eles se dá. Delas provêm a comicidade e o tom satírico da obra, em que o humor e a picardia ao gosto popular são inseparáveis do espírito que anima a narrativa. O cômico, aqui, não cala o sofrimento, mas dá-lhe outra dimensão.

Todo *Dom Quixote de la Mancha* trata da força e da influência da ficção e da leitura. Como disse o crítico Harold Bloom, um dos fios condutores desse livro é a obra dentro da vida, e não a vida dentro da obra. Se os livros de cavalaria são amaldiçoados pelos amigos e parentes de Dom Quixote, como sendo a causa de sua loucura, o capítulo 23 apresenta uma bela discussão sobre a literatura. Faz a defesa do gênero preferido pelo cavaleiro e a avaliação dos diferentes efeitos que um livro pode causar no leitor, devido à variedade de sentidos que desperta em uns e outros. Celebra a literatura como forma de entretenimento.

Sendo esta uma obra fundamentalmente sobre leitura, nela são abundantes as citações a livros variados e as referências a personagens bíblicas, mitológicas e da ficção medieval. As notas indicam a fonte e pretendem suscitar no leitor interesse por outras tantas leituras.

O estilo de Cervantes é tão próprio que a forma que encontrei de modestamente homenageá-lo foi preservar algo do gosto pelo binário e pelos paralelismos: "o vento não dormia nem a manhã despertava"; "as opiniões divergem como os gostos variam"; "os dois ficaram ansiosos: um por vê-la; o outro por nunca tê-la visto". Do mesmo modo, manteve-se algo de sua preferência por nomeações acumulativas: "vozes, choros, medos, gritos, sustos, murros, coices, pauladas e pancadaria".

Obra ao mesmo tempo inaugural e contemporânea, primordial e avançada, apresenta desde a primeira página desconfiança sobre quanto os autores sabem daquilo que contam. A adaptação não poderia suprimir essa constante suspeita. Ela perpassa a obra. A metalinguagem não foi descoberta no século XX...

E o resto... o resto é falta, distância, diferença que se recalca, do que só Cervantes pode nos dar.

Ligia Cademartori

QUEM É LIGIA CADEMARTORI

Nasci em Santana do Livramento, cidade gaúcha que faz limite com o Uruguai. Há muitos anos, moro em Brasília.

Sempre trabalhei com livros. E estudo sobre eles, buscando entender o prazer que nos causam e a importância que têm no mundo. Fiz doutoramento em teoria da literatura, lecionei em universidades, escrevi vários livros de crítica e teoria, participei de programas de promoção da leitura nas escolas.

Gosto muito de fazer traduções de narrativas clássicas para crianças e jovens. Pela tradução de *O naufrágio do Golden Mary*, de Charles Dickens e Wilkie Collins, integrei a Lista de Honra do International Board on Books for Young People (IBBY), em 1992.

Meu livro *O professor e a literatura: para pequenos, médios e grandes* ganhou o Prêmio FNLIJ Cecília Meireles — O Melhor Livro Teórico, em 2010.

QUEM É ALEXANDRE CAMANHO

Nasci em 1972, na cidade de São Paulo, e trabalho com ilustração desde 1999, mas essa história começou muito antes, com o desenho. É nessa linguagem que tudo se desenvolve. Meu interesse por artes plásticas começou muito cedo, olhando as pinturas de Hieronymus Bosch e suas criaturas. Aquilo despertou em mim, pela primeira vez, a vontade de desenhar as minhas próprias criaturas. Desenhei tanto que me tornei eu mesmo.

Muitos de meus trabalhos foram publicados em diversas revistas e livros e participaram de exposições e salões de arte. Minha formação como ilustrador vem das artes plásticas e dessa prática.

As ilustrações para este livro resultaram de um fazer espontâneo da linha e da mancha. A água adicionada à aquarela criou o caminho para o surgimento dos personagens. A linha dissolvida pelo pincel deu ênfase aos aspectos fantásticos, lúdicos e caricaturescos.

Impresso no Parque Gráfico da Editora FTD
Avenida Antonio Bardella, 300
Fone: (0-XX-11) 3545-8600 e Fax: (0-XX-11) 2412-5375
07220-020 GUARULHOS (SP)

São Paulo - 2025